"LECTURAS MODERNAS"

BY

LLOYD A. KASTEN

AND

EDUARDO NEALE SILVA
University of Wisconsin

HARPER & BROTHERS PUBLISHERS
New York and London

CONTENTS

v

vi CONTENTS

PREFACE

In the preparation of this volume it has been the aim of the editors to provide a reading text which would adequately fill the gap existing between the beginning reader and the texts generally read in the second-year college course. All too often there is insufficient gradation between the simplified first-year texts and the subsequent reading material. *Lecturas modernas* is intended as a transitional text, to provide material which will enable students to read modern prose of moderate difficulty.

The material chosen for this book is drawn from both Spanish and Spanish-American sources in about equal proportion. No attempt has been made to present these stories as literary masterpieces. At this stage the primary interest in language instruction lies in the acquisition of a certain facility in reading, and from that point of view this volume has been prepared.

This does not, it is hoped, indicate a lack of literary merit in the stories selected. Despite the process of simplification, it may be possible to discover vestiges of the value possessed by the complete text of the story. The factors governing the choice of material were, in addition to general literary value, the predominance of plot interest and local color, and the nature of the vocabulary, idioms and syntax. The earlier stories were then simplified considerably, and later ones gradually increased in difficulty up to the last one, which was barely touched. In addition, various styles were chosen, ranging from that of the conservative nineteenth-century authors to the freer journalistic style of Julio Camba.

The general arrangement of the text is a continuation of that of its predecessor, *Lecturas escogidas*. The stories are presented in sections, thus making it convenient to assign the material. Conveniently located at the end of each story are the notes referring to it. They are restricted to points difficult to translate. Geographical and biographical matters are not included, but can readily be found in the general vocabulary. An active vocabulary, consisting of approximately twenty words and idioms, is provided for each selection. Here are included words and phrases of high frequency, as determined by the word count of Professor Buchanan and the idiom count of Professor Keniston. Here also are found words which are apt to cause trouble in reading unless they are learned at the outset. They are deceptive words, resembling English forms but differing from them in meaning, such as *éxito, labrador, pariente,* and *inconveniente.* Finally, each prose selection is provided with a *Cuestionario* for purposes of conversation and home study.

Several verse selections have been included, partly to provide material for memorization and partly to introduce a few new ideas of word order. They are poems which generally find a favorable reception among students.

In order not to break up the text too much for those who may wish to use the book for reading purposes only, the exercises have been placed at the end of the reading selections. Each prose passage has a corresponding exercise based on several definite grammatical principles. Included likewise is at least one exercise on vocabulary or word formation. To aid in the preparation of these exercises there has been provided a grammatical summary which presents ample descriptive material and examples for the purposes of the exercises.

There are approximately 3600 entries in the vocabulary. This figure includes many forms of irregular and orthographic changing verbs. Radical changing verbs have not been included, since a knowledge of them is assumed by the time a student reaches this stage. In the process of simplifying the stories the editors have taken into consideration the word count of Buchanan. It will be found that approximately 71 per cent of the entries are to be found in the first 4000 words, and that 11 per cent more are included in the rest of the count. Of the remaining 18 per cent, 26 per cent represent proper nouns, 4 per cent are numerals, 23 per cent are easily recognizable from their English cognates, 14 per cent are based on the same root as other Spanish words already known to the student, and 33 per cent, or about six per cent of the entire vocabulary, are unconnected with anything familiar to the student. No attempt has been made to provide substitutions for these latter words for the reason that they are representative of fairly common objects or ideas, such as the words *armario, conserje,* and *puro,* or else are essential to telling the story. Idioms have likewise been checked against the Keniston list, but the problem here has often resolved itself into a choice between the list or a picturesque presentation of the story. In that case the decision was generally in favor of the original text.

The editors wish to express their gratitude to Professor Joaquín Ortega of the University of Wisconsin for his careful reading of the manuscript and his many helpful suggestions. To Sra. Jesusa Alfau de Solalinde acknowledgment is made for the illustrations.

LLOYD A. KASTEN
EDUARDO NEALE-SILVA

January, 1937

ARTE DIABÓLICA

I

—Oye, Andrés; yo creí que las mujeres de tu tierra tenían más educación . . .

—¡Hombreeee!

—Yo diría que no tienen ninguna . . .

—Mira, Arturo, no tolero una afirmación así . . . No digo que no hayas tropezado alguna vez con alguna mal educada, porque gente sin educación la[1] hay en todas partes. Pero decir que todas las mujeres de Andalucía no tienen educación es una falta de galantería, incomprensible en un muchacho tan correcto como tú.

—Pues, bien: retiro mis palabras sobre las andaluzas en general. Sin embargo, esa vecinita de enfrente de mi balcón es una golfa.

—¿La vecinita de enfrente de tu balcón del hotel?

—¡La misma!

—¿Una rubita, muy mona, de ojos azules, vestida de negro?

—Sí, ésa.

—Pues, chico,[2] si no me lo dijeras tú, no lo creería. Es una muchacha de las más finas que puedes encontrar, amiga de mis hermanas, y de quien sólo oigo alabanzas.

—Pues, chico, te diré lo mismo que me has dicho: si no me lo dijeras tú, no lo creería. Figúrate que[3] cuando vuelvo por las tardes de las obras del puerto, cansado y sucio, antes de meterme en el baño y vestirme para comer, me siento en el balcón para fumar un cigarro y hojear los periódicos. . . . La niña, que está en el suyo tomando el fresco, levanta la cabeza, me mira con desprecio, me saca la[4] lengua, ¡así! . . . ¡me saca la lengua! con un mohín de pillete, y se mete dentro de la sala hasta el otro[5] día . . . para volver a burlarse de mí de la misma manera. Los primeros días me hizo gracia, pues lo tomé como una broma de vecinita . . . pero tener que recibir insultos todos los días es intolerable, y estoy dispuesto a decirle dos o tres frescas. 5

—Yo no creía que Aurorita se permitiese semejante incorrección contigo . . . ¡ni con nadie!

—¿Aurora dices que se llama?

—Aurora Pabón y Pichardo, hija de un magistrado de esta Audiencia. ¡Te digo que es una gente correctísima! 10

II

Señorita doña Aurora Pabón y Pichardo,
Hotel Berlín.

Distinguida señorita:[6]

Es impropio de una señorita burlarse de un caballero. Aunque manos blancas no ofenden, como dicen, me creo 15 con derecho[7] para quejarme. Lo que Vd. está haciendo conmigo es una imperdonable incorrección.

De Vd. respetuoso servidor,[8]

Arturo Larramendi

III

Sr. D. Arturo Larramendi, 20
Hotel Londres.

Respetado señor mío:

Creo que es a mí a quien dirige Vd. su incomprensible carta, porque viene a mi nombre y apellidos; pero no comprendo qué motivos le inducen a escribirme, siendo 25 así que[9] no tengo el honor de conocerle. Soy una señorita que sabe todo lo que debe a su propio decoro y al respeto de los demás.

Exijo a Vd. que se explique.

Su segura servidora, 30

Aurora Pabón y Pichardo

IV

Señorita doña Aurora Pabón y Pichardo,
Hotel Berlín.

Distinguida señorita:
Por lo visto, Vd. quiere que le regale el oído. Lo
haré, ya que Vd. lo exige.   5

La incorrección de que me he quejado es la de sacarme
la lengua todas las tardes, en cuanto me siento en el
balcón, haciendo burla de quien, precisamente por ser[10]
un desconocido, merecía más respeto.

A los pies de usted, su reverente servidor,   10
Arturo Larramendi

V

Sr. D. Arturo Larramendi,
Hotel Londres.

Señor mío:
Pido a Vd. mil perdones por haberle ofendido, aunque 15
inadvertidamente. Mis bromas, que ha tomado Vd. como
dirigidas a su persona,[11] son para una amiguita que se
hospeda en ese mismo hotel y en el cuarto encima del
que Vd. ocupa.

Mi dolor es igual a mi vergüenza por haber dado   20
lugar a la reconvención que Vd. me hace. Aunque le
pido a Vd. que me perdone, yo no me perdonaré nunca.

De usted, atribulada amiga que llora su falta,
Aurora Pabón y Pichardo

P. D. ¡Qué vergüenza, Dios mío!   25

VI

Señorita doña Aurora Pabón y Pichardo,
Hotel Berlín.

Distinguida señorita y estimadísima amiga mía:
Yo sí que no me perdono por haberle dado un disgusto

con mis intemperancias . . . ¡Por Dios, perdóneme y
permítame ir esta noche a dar a Vd. toda clase de explicaciones por la crueldad de mi conducta! ¡Sólo pensar
que las lágrimas hayan empañado esos bellos ojos me
pone rojo de vergüenza![12]

Nuestro amigo D. Andrés de Lerma me hará el inmenso favor de presentarme.

Así, pues, hasta la noche.

Suyo, amigo y criado, que le besa los pies en señal de
desagravio y simpatía.

Arturo Larramendi

VII

Diez meses más tarde. Anuncio de un periódico local.

Han celebrado esponsales el Sr. D. Arturo Larramendi y Ochoa, ingeniero de las obras del puerto,
y la bellísima señorita Aurora Pabón y Pichardo,
hija del distinguido magistrado de esta Audiencia,
don Enrique. La boda ha quedado concertada para
el próximo día de San José.

VIII

Víspera de San José, por la noche.

—Mira, Arturo . . . ¡tengo que hacerte una confesión! ¡Me cuesta mucho trabajo! . . . Pero no me
creería lo suficiente honrada[13] ni digna de ti si no te la
hiciera. . . .

—¡Habla, nena!

—Que[3] . . . las morisquetas desde el balcón . . . no
eran para ninguna amiga. Eran . . . ¡para ti!

—¿Sí?

—Es que[14] me gustabas muchísimo, ¿sabes? Como te
ponías a leer los periódicos en cuanto te sentabas, y ni
siquiera me mirabas, se me ocurrió esa . . . diablura
. . . para pescarte. . . .

—No te preocupes, nena. La verdad es que, después de mi primera visita a tu casa, supe que no había tal amiga en el cuarto de arriba . . .

—Y entonces, ¿por qué seguiste viniendo a mi casa?

—Pues, hija, porque quería que . . . me pescases. 5

Adapted from Juan Francisco Muñoz y Pabón: *Arte diabólica es*

NOTES

¹ la *Do not translate.* (26 a)*
² chico *A familiar manner of addressing a friend; translate* "old man."
³ que *Do not translate.*
⁴ la *her; the possessive adjective is replaced by the definite article when possession is evident.*
⁵ otro *next*
⁶ **Distinguida señorita** My dear young lady
⁷ **me . . . derecho** I believe I have the right

⁸ **De . . . servidor** Your humble servant
⁹ **siendo así que** since
¹⁰ **por ser** because he is
¹¹ **a su persona** to yourself
¹² **me . . . vergüenza** makes me blush with shame
¹³ **Lo . . . honrada** honorable enough
¹⁴ **Es que** *This introductory expression is often best left untranslated. If rendered into English, it may be given as the fact is that.*

ACTIVE VOCABULARY

azul blue
el balcón balcony
el baño bath
burlarse de to make fun of
dentro de inside, within
en cuanto as soon as
la explicación explanation
figurarse to imagine
lo mismo que the same as

el periódico newspaper
ponerse a to begin to
propio, -a own
próximo, -a next
rojo, -a red
todos los días every day
tropezar (ie) con to meet
la vergüenza shame
vestirse (i) to dress oneself

CUESTIONARIO

1. ¿Qué hay en todas partes?
2. ¿Quién es una golfa?

* Figures in parentheses refer to the Grammatical Summary, p. 131.

3. ¿De dónde vuelve el ingeniero?
4. ¿Qué hace él en el balcón?
5. ¿Cómo se llama la muchacha?
6. ¿Quién es el padre de la niña?
7. ¿Qué hace la muchacha todos los días?
8. ¿Dónde vive Aurora?
9. ¿Qué exige la señorita Pabón en su carta?
10. ¿Qué incorrección comete Aurora?
11. ¿Para quién son las bromas?
12. ¿En dónde se hospeda la amiguita?
13. ¿Para qué desea visitar el ingeniero a la señorita Pabón?
14. ¿Qué va a hacer el señor Lerma?
15. ¿Cuándo apareció el anuncio?
16. ¿Qué han celebrado Arturo y Aurora?
17. ¿Cuándo será la boda?
18. ¿Qué confesó Aurora?
19. ¿Qué sabía el ingeniero?
20. ¿Cuándo supo él que no había tal amiguita?

EL COLLAR DE PERLAS

I

AQUEL mestizo alto y flaco llamaba la atención po,
su sonrisa perpetua. Era una mueca burlona como la de¹
una carátula que simbolizara la risa. Los ojos pequeñitos
brillaban vivaces como los de una alimaña; la dentadura
blanquísima poseía la fiereza de los dientes del lobo y ₍
los brazos largos y flojos² recordaban las extremidades del
mono.

Había nacido en Bahía, hijo de un indio y una mujer
blanca. Escapado³ del hogar a los quince años, hubo de
vagar por el mundo, trabajando de⁴ marinero. Conoció 10
los rigores de la industria del petróleo en Tampico, las
fatigas del trabajo en la región amazónica y la vida de
sacrificios en las salitreras chilenas. Ya enfermo, marchó
a la Patagonia argentina en busca de pan y nuevas
aventuras. 15

Elías Barreiro se mostraba siempre rebelde, egoísta,
lleno de odio para todos los seres humanos. A pesar de
encontrarse enfermo, se veía obligado a trabajar rudamente. Sonreía con fatiga, con una sonrisa constante que
más parecía una amenaza. 20

A causa de su mal carácter, pronto le despedían de
todas partes. Por fin se ofreció para trabajar en las obras
de un ferrocarril. Allí le aceptaron, y tuvo que trabajar
de sol a sol.

II

Las casas de los ingenieros norteamericanos quedaban 25
en las afueras del pueblo. Eran casas de aspecto alegre y
sencillo, rodeadas de pequeños jardines.

Elías las miraba con envidia. Pensaba en su enfermedad y miseria, y comprendía que jamás poseería un hogar,

7

ni nada que le hiciera grata la vida. Y un rencor a todos los hombres y a todas las cosas agitaba su corazón.

Una tarde vió a la esposa del ingeniero jefe: una mujer hermosa, de cuerpo flexible y robusto. Mrs. Maxwell—o «la bella Mabel,» como le decían[5] sus compatriotas,—no tenía hijos. Vivía con su esposo en una de las casas principales. Cuando quedaban abiertas las ventanas, Elías observaba los cómodos muebles, los artísticos cuadros y las suntuosas cortinas. Todo ese lujo le irritaba los nervios, haciéndole[6] después más insoportable la miserable cama en que dormía.

Un domingo bajaba del pueblo cuando vió detenerse el automóvil[7] de los señores Maxwell. Iban a una fiesta. Elías contempló algo sobre la garganta de Mabel que le dejó deslumbrado: era un hermoso collar de perlas. En el pueblo se decía que valía una verdadera fortuna.

Aquella noche el mestizo soñó con las perlas de Mabel. Varias veces, entre las sombras, extendió sus manos para coger las perlas que caían en su imaginación como una blanca y alegre cascada.

III

Después de varios días de meditación el plan quedó hecho. Muy temprano, se dirigió a la oficina:

—Me voy a Punta Arenas. Estoy enfermo, y no puedo trabajar más.

Recibió su dinero y desapareció aquel mismo día. Todo aquello era sólo la introducción de su plan. Dejaría pasar un mes, y cuando todos le creyeran lejos, volvería para efectuar el robo. Así lo hizo. Una noche llegó a la casa de Maxwell. Todo le favorecía: los esposos estaban ausentes, el pueblo dormía. Saltó la tapia del jardín, y sigilosamente escaló una ventana. Llegó al comedor sin hacer ruido. Encendió un fósforo y dirigió sus pasos hacia el dormitorio. Vaciló. ¿Dónde estaría[8] el collar? Apagó la luz y avanzó entre las sombras. Abrió cajones y buscó en los muebles. ¡Allí estaba el collar! Iba a seguir buscando, pero le pareció sentir ruido. Saltó por una ventana y todo quedó en silencio.

IV

Elías Barreiro huyó al Brasil, y la policía se encontró ante un enigma indescifrable. Un mes más tarde Elías se hallaba en Río de Janeiro en una modesta fonda de la calle Acre. Allí, en aquel refugio, dejó pasar los días.

Todas las noches, en su habitación, contemplaba aquel maravilloso collar de ochenta y dos perlas. Ahora vacilaba. ¿Cómo venderlo sin despertar sospechas? La policía, al verle con tal fortuna, le obligaría a confesar la verdad.

Tuvo una idea. Vendería una perla primero, y después otra; o bien cinco en esta población, diez en otra, y siempre a diferente persona.

Parte del día lo pasaba[9] encerrado en su habitación, y cuando salía llevaba el collar escondido junto a su pecho. Ahora podía considerarse rico. Ya no tendría que trabajar en los muelles, en las fábricas o en las minas. Se sentía mejor, más fuerte; dormía con reposo y comía cuanto quería.

Como tenía que pagar en la fonda, decidió, después de muchas vacilaciones, vender la primera perla. Ya de noche,[10] se dirigió a una joyería de la calle General Cámara para saber su valor. Sacó dos perlas y las puso en las manos del joyero.

—¡Son una buena imitación!—declaró éste. Estas perlas deben de ser norteamericanas. Solamente en los Estados Unidos se hace un trabajo tan perfecto—.

Elías se quedó atónito. Irritado, mudo, cogió las dos perlas y salió en silencio. Aquel hombre seguramente le engañaba. Fué a otra joyería y allí le dijeron lo mismo: eran falsas, pero sí[11] una imitación de las mejores.

Toda la sangre se le vino al cerebro y se sintió sin fuerzas. ¡Y para eso había robado!

Llegó al fin a la fonda, y se encerró en su habitación.
Contó las ochenta y dos perlas: ¡ochenta y dos mentiras!
Poseído de una cólera salvaje las arrojó al suelo y con
una barra las destrozó una por una. Algunas saltaban,
otras corrían, pero sus manos coléricas las cogían de   5
nuevo para hacerlas mil pedazos bajo los golpes brutales.
Terminada su obra de destrucción,[12] quedó agotado, con-
templando aquel montón de fragmentos irisados. Volvía

a la miseria, a la lucha por el pan . . . y lloró de dolor y
desesperación. La vida se burlaba de él, condenándole   10
a ser un vagabundo miserable. Esa misma noche desapareció de la fonda.

V

Pero aquel hombre nunca supo la verdad. Cierta vez,
en una calle de Boston, el hilo que sostenía las perlas se
rompió. Mabel pudo recogerlas, pero no todas. Faltaban   15

siete perlas. Como le fué imposible encontrar otras iguales, Mabel las sustituyó por unas maravillosamente imitadas.

El mestizo, por una ironía de la suerte, había hecho examinar[13] dos de las perlas falsas, destrozando después **6** el resto que valía una fortuna.

Adapted from Edgardo Garrido Merino: *El collar de perlas*

NOTES

[1] la de that of (8)
[2] largos y flojos long, dangling (3d)
[3] Escapado Having run away (19)
[4] de as
[5] decían called
[6] haciéndole making for him
[7] vió detenerse el automóvil he saw the automobile stop (11b)
[8] ¿Dónde estaría . . . ? Where could it be? (15)
[9] Parte . . . pasaba He spent a part of the day (26a)
[10] Ya de noche When night had fallen
[11] sí they were. Sí *is used to avoid the repetition of* eran *in the preceding sentence.*
[12] Terminada . . . destrucción When he had finished his work of destruction (19)
[13] había hecho examinar he had had examined (11a)

ACTIVE VOCABULARY

a causa de because of
la amenaza threat
apagar to put out, extinguish
a pesar de in spite of
el corazón heart
despertarse (ie) to wake up
detenerse to stop
encender (ie) to light
la esposa wife
la fábrica factory

el ferrocarril railway
la garganta throat
la habitación room
irse to go away, leave
junto a near
la mentira lie
el pedazo piece
el ruido noise
la sangre blood
sonreír (i) to smile

CUESTIONARIO

I

1. ¿Quién era Elías Barreiro?
2. ¿Tenía Elías los ojos grandes?

3. ¿Qué recordaban los brazos de Elías?
4. ¿Quiénes eran los padres de Elías?
5. ¿Cuándo se escapó del hogar?
6. ¿Qué conoció él en Tampico?
7. ¿Qué buscaba Elías en la Patagonia?
8. ¿Era Elías un hombre simpático?
9. ¿Por qué le despedían en todas partes?
10. ¿Dónde halló trabajo?

II

1. ¿Cómo eran las casas de los ingenieros?
2. ¿Qué comprendía Elías?
3. ¿Quién era Mabel?
4. ¿Qué podía ver Elías dentro de la casa?
5. ¿A dónde iban los señores Maxwell el domingo?
6. ¿Qué llevaba la señora?
7. ¿Con qué soñó el mestizo?

III

1. ¿Qué dijo Elías en la oficina?
2. ¿Qué recibió entonces?
3. ¿Para qué volvería Elías?
4. ¿Qué hizo Elías para entrar en la casa?
5. ¿A dónde se dirigió él?
6. ¿Dónde buscó el collar?

IV

1. ¿A qué país huyó Barreiro?
2. ¿En qué casa vivía ahora?
3. ¿Qué hacía él todas las noches?
4. ¿Cómo pensaba vender las perlas?
5. ¿Por qué decidió vender la primera perla?
6. ¿Qué le dijo el joyero?
7. ¿Cómo salió de la joyería?
8. ¿Qué hizo él con las perlas?

V

1. ¿Qué no supo nunca Elías?
2. ¿Qué le pasó a Mabel en Boston?
3. ¿Cuántas perlas faltaban?
4. ¿Qué había hecho examinar el mestizo?

EL ABOGADO DE LOS ABOGADOS

CUENTAN que el Señor no miraba a los abogados con mucha simpatía porque siempre que uno de éstos llegaba al cielo no exhibía pasaporte tan en regla que autorizase al portero para darle entrada.

Una mañana, a la hora del alba, dieron un aldabonazo en la puerta del cielo. San Pedro brincó del lecho, y asomando la cabeza por el ventanillo, vió que el que llamaba era un viejecito acompañado de un gato.

—¡Vaya un madrugador!—murmuró el apóstol un tanto malhumorado. —¿Qué se le ofrece?

—Entrar, claro está—contestó el de afuera.[1]

—¿Y quién es usted, hermanito, para gastar tantos bríos?

—Ibo, ciudadano romano, para servirle a Vd.

—Está bien. Páseme sus papeles.

El viejo llevaba éstos en un cañuto de hoja de lata que entregó al santo de las llaves,[2] el cual cerró el ventanillo y desapareció.

San Pedro se dirigió a la oficina donde trabajaban los santos a quienes estaba encomendado el examen de los pasaportes, y hallaron el del recién llegado tan correcto que autorizaron al portero para abrirle de par en par la puerta.

—Pase y sea bienvenido—dijo.

Y el viejecito, sin más esperar,[3] penetró en la portería seguido del gato, que no era maullador, sino de buen genio.

Fría, muy fría estaba la mañana, y el nuevo huésped, que entró en la portería para acepillarse y sacudirse[4] el polvo del camino, se sentó junto a la chimenea, con el animalito a sus pies. San Pedro, que siempre fué persona atenta, menos cuando la cólera se le sube al campanario, le ofreció un mate de hierba del Paraguay, porque en las

alturas no se consigue un puñadito de té ni[5] para remedio.

Mientras así se calentaba, entró el viejecito en conversación con el santo.

—¿Y qué tal le va en esta portería?

—Así, así—contestó modestamente San Pedro—; como todo puesto público, tiene sus ventajas y sus desventajas.

—Si no está Vd. contento y desea un destino mejor, dígamelo con franqueza. Yo sabré corresponder a la amabilidad con que me ha recibido, trabajando para que lo asciendan.

—¡No, no!—se apresuró a decir el apóstol—. Muy contento vivo en mi portería. No la cambiaría por nada del mundo.

—¡Bueno, bueno! No he dicho nada. Pero, ¿está Vd. seguro de que no habrá quien pretenda quitarle la portería? ¿Tiene Vd. título en papel sellado, en la forma que exige la ley? ¿Ha pagado en la tesorería los derechos del título?

San Pedro se rascó la cabeza. Nunca se le había ocurrido que para ocupar el puesto le era necesario tener un documento comprobatorio, y así lo confesó.

—Pues, amigo mío, si no anda Vd. vivo, lo despiden el día menos pensado. Debe Vd. felicitarse de mi venida. Déme papel sellado, pluma y tintero, y en tres suspiros le escribo un documentito reclamando la expedición del título; pediremos también que le reconozcan la antigüedad en el empleo, para que pueda Vd. hacer uso de sus derechos cuando se le ocurra jubilarse.

Ibo escribió el documento, y cinco minutos después lo llevó el Santo a la corte del Señor.

—¿Qué es esto, Pedro? ¿Para qué quieres título? Con mi palabra te basta.[6]

El Señor rompió el papel y dijo sonriendo:

—Pedro, de seguro que te descuidaste en la puerta, y tenemos ya abogado en casa.[7] Tráeme a ese abogado, que[8] quiero tenerlo a mi lado, porque de otro modo no habrá paz en el cielo.

Y desde ese día los abogados tuvieron en el cielo a uno de su profesión; esto es, entró San Ibo, el santo a quien pintan con un gato a los pies, como[9] diciéndonos que al que se mete en pleitos lo menos que puede sucederle es salir arañado.

Hasta el pueblo romano se sorprendió al saber que un abogado había conseguido entrar en la corte celestial. Y en las fiestas de la canonización de San Ibo cantaron los granujas:

> Advocatus et sanctus?
> Res miranda populo![10]

Adapted from Ricardo Palma: *El abogado de los abogados*

NOTES

[1] **el de afuera** the man outside
[2] **al santo de las llaves** *St. Peter, who, as guardian of heaven, carries its keys*
[3] **sin más esperar** without waiting any longer
[4] **sacudirse** to shake off (from himself)
[5] **ni** not even
[6] **te basta** you have enough
[7] **en casa** with us
[8] **que** because
[9] **como** as if
[10] **Advocatus . . . populo!** A lawyer and a saint? A thing most astonishing to the people!

ACTIVE VOCABULARY

el **abogado** lawyer
afuera outside
apresurarse to hasten
asomar to look out
bastar to be enough
el **camino** road, way
el **examen** examination
el **gato** cat
la **hierba** grass, herb
la **ley** law
la **llave** key
ocurrírsele a uno to occur to one
¿**qué tal?** how?
quitar to take away
romper to break, tear
siempre que whenever
sorprender to surprise
la **ventaja** advantage

CUESTIONARIO

1. ¿A quiénes no miraba con simpatía el Señor?
2. ¿Qué hizo San Pedro una mañana?
3. ¿Quién era el que llamaba?
4. ¿Qué le preguntó San Pedro?
5. ¿Qué dió Ibo al santo?
6. ¿A dónde se dirigió San Pedro?
7. ¿Cómo hallaron los santos el pasaporte?
8. ¿En dónde entró el viejo?
9. ¿Entró solo?
10. ¿Cómo era la mañana?
11. ¿Dónde se sentó Ibo?
12. ¿Qué le ofreció San Pedro?
13. ¿Tiene San Pedro un buen puesto?
14. ¿Qué no tenía San Pedro?
15. ¿Ofreció algo el abogado?
16. ¿Qué hizo el santo con el documento?
17. ¿Dónde quiere tener el Señor al abogado?
18. ¿Cómo pintan a San Ibo?
19. ¿Qué le pasa al que se mete en pleitos?

EL GEMELO

La condesa de Noroña, al recibir y leer la apremiante invitación, hizo un movimiento de contrariedad. ¡Tanto tiempo que no asistía a[1] las fiestas! Desde la muerte de su esposo: dos años y medio. Parte por tristeza verdadera, parte por comodidad, se había habituado a no salir de noche, a recogerse temprano, a no vestirse, y a prescindir del mundo y sus pompas, concentrándose en el amor maternal—en Diego, su adorado hijo único. Sin embargo, no hay regla sin excepción; se trataba de la boda de Carlota, la sobrina predilecta . . . No podía negarse.

—Y lo peor es que han adelantado el día . . . —pensó. —Se casan el dieciséis . . . Estamos a diez . . .[2] Veremos si madama Pastiche me saca de este apuro. Yo no exijo muchos perifollos. Con los encajes y mis joyas . . .

Tocó el timbre, y, pasados algunos minutos, acudió Lucía, la doncella.

—¿Qué estabas haciendo?—preguntó la condesa impaciente.[3]

—Ayudaba a Gregorio a buscar una cosa que ha perdido el señorito Diego.

—¿Y qué cosa[4] es ésa?

—Un gemelo de los puños. Uno de los que la señora condesa le regaló hace un mes.

—¡Válgame Dios! ¡Qué chico! ¡Perder ya ese gemelo, tan precioso y tan original como era! No los hay así[5] en Madrid. ¡Bueno! Ya[6] seguiréis buscando: ahora tráeme del armario mis encajes. No sé en qué estante los habré colocado. Registra . . .

La criada obedeció, no sin hacer un mohín de sorpresa al oír esta orden inesperada. Al retirarse la doncella la dama pasó al amplio dormitorio y tomó de su secreter unas llaves menudas; se dirigió a otro mueble, un escritorio-cómoda, de esos que[7] al bajar la tapa forman mesa y tienen dentro varios cajones, y lo abrió, diciendo entre sí:[8]

—Suerte que he retirado mis joyas del Banco este invierno . . . Ya me temía que saltase[9] algún compromiso.

Al introducir la llavecita en uno de los cajones notó con extrañeza que estaba abierto.

—¿Es posible que yo lo dejase así?—murmuró.

Era el primer cajón de la izquierda. La condesa creía haber colocado en él su gran rama de diamantes. Sólo encerraba unas cositas sin valor. La señora, turbada, reconoció los restantes cajones. Abiertos estaban todos; dos de ellos astillados y destrozada la cerradura. Las manos de la dama temblaban. Ya no cabía duda. Faltaban de allí todas las joyas, las hereditarias y las nupciales. Rama de diamantes, sartas de perlas, broche de rubíes y diamantes . . . ¡Robada! ¡Robada!

Una impresión extraña dominó a la condesa. Por un instante dudó de su memoria, dudó de la existencia real de los objetos que no veía. Inmediatamente le vino a la mente el recuerdo preciso. ¡Si hasta recordaba que al envolver el broche de rubíes había advertido que parecía sucio, y que era necesario llevarlo al joyero a que lo limpiase!

—Pues el mueble estaba bien cerrado por fuera . . .—calculó la señora.— Ladrón de casa. Alguien que entra aquí con libertad a cualquier hora . . . Alguien que sabe como yo misma el sitio en que guardo mis joyas, su valor, mi costumbre de no usarlas en estos últimos años.

Como rayos de luz dispersos que se reúnen y forman intenso foco, estas observaciones confluyeron en un nombre:

—¡Lucía!

¡Era ella! No podía ser nadie más. Cierto que[10] Lucía llevaba en la casa ocho años de excelente servicio. Hija de honrados padres, criada[11] a la sombra de la familia de Noroña, probada estaba su lealtad por su solícita ayuda en las enfermedades graves de los amos, en que había pasado semanas enteras sin acostarse, entregando su juventud y su salud con la generosidad de la gente humilde. Pero—discurría la condesa—, puede ser muy leal . . . y ceder un día a la tentación de la codicia. Por excelentes razones hay en el mundo llaves, cofres recios; por excelentes razones también se vigila siempre al pobre, cuando la casualidad o las circunstancias le ponen en contacto con los tesoros del rico . . . En el cerebro de la condesa, bajo la fuerte impresión del descubrimiento, la imagen de Lucía se transformaba. Se borraban los rasgos de la criatura buena, sencilla, llena de abnegación, y aparecía una mujer astuta, codiciosa . . .

—Por eso se sobresaltó cuando le mandé traer[12] los encajes—pensó la señora. —Temió que al necesitar los encajes necesitase las joyas también. ¡Ya, ya! Espera, que tendrás tu merecido.

La dama, trémula, furiosa, trazó con lápiz algunas palabras en una tarjeta, la puso en un sobre, escribió la dirección, tocó el timbre dos veces, y cuando Gregorio apareció en la puerta, se la entregó.

—Esto, a la delegación, ahora mismo.

Sola otra vez, la condesa volvió a fijarse en los cajones.

—Tiene fuerza la ladrona—pensó al ver los dos que habían sido abiertos violentamente. —Sin duda, en la prisa, no acertó con la llavecita propia de cada uno, y los forzó.

Al sentir los pasos de Lucía que se acercaba, la indignación de la condesa precipitó el curso de su sangre. Entró la muchacha trayendo una caja de cartón.

—Me ha costado trabajo[13] hallarlos, señora. Estaban en lo más alto.

La señora no respondió. Respiraba para que su voz no saliese de la garganta demasiado ronca. Tenía impulsos de coger por un brazo a la sirviente y arrojarla contra la pared. Si le hubiesen quitado el dinero que las joyas valían, no sentiría tanta cólera; pero eran joyas de familia . . . y el tocarlas, un ultraje . . .

Se domina la voz, se inmovilizan las manos . . . los ojos no.[14] La mirada de la condesa buscó, terrible y acusadora, la de Lucía, y la encontró fija, como hipnotizada, en el mueble escritorio, abierto aún, con los

cajones fuera. En tono de asombro, de asombro alegre, 5 la doncella exclamó, acercándose:

—¡Señora! ¡Señora! Ahí . . . en ese cajoncito del escritorio . . . ¡El gemelo que faltaba! ¡El gemelo del señorito Diego!

La condesa abrió la boca, extendió los brazos, comprendió . . . sin comprender. Y, rígida, de golpe, cayó 10 hacia atrás, perdido el conocimiento, casi roto el corazón.

Adapted from Emilia Pardo Bazán: *El gemelo*

NOTES

[1] que no asistía a that she had
not been attending

[2] Estamos a diez Today is the
tenth.

[3] impaciente impatiently. *An adjective in Spanish may often
be best translated by an English adverb.*

[4] ¿qué cosa . . .? what?

[5] No los hay así There are none
like it

[6] Ya Later

[7] de esos que one of those which

[8] diciendo entre sí saying to herself

[9] saltase would come up unexpectedly

[10] Cierto que To be sure

[11] criada brought up

[12] le mandé traer I ordered her
to bring (11a)

[13] Me . . . trabajo It was difficult for me

[14] Se . . . no One's voice can be
controlled, one's hands can be
held motionless, but not one's
eyes.

ACTIVE VOCABULARY

acostarse (ue) to go to bed
adorado, -a adored, beloved
ahora mismo right now
amplio, -a spacious
el asombro astonishment
la caja box
cualquier any
demasiado too, too much
la dirección direction, address
entero, -a whole, entire
fijarse en to notice
humilde humble, modest

izquierdo, -a left
la mente mind
la pared wall
precioso, -a pretty
la razón reason
respirar to breathe
la tarjeta card
el tesoro treasure
tratarse de to be a question
of, to concern
en voz alta aloud

CUESTIONARIO

1. ¿Qué había recibido la condesa?
2. ¿Cuánto tiempo hacía que no asistía a las fiestas?
3. ¿A qué estaba habituada la condesa?
4. ¿A quién llamó la señora?
5. ¿Qué estaba haciendo la doncella?

6. ¿Qué pidió la doncella?
7. ¿Para qué quería las llaves la condesa?
8. ¿Dónde estaban las llaves?
9. ¿Qué notó ella con extrañeza?
10. ¿Halló los diamantes en el cajón?
11. ¿Qué pensó la señora?
12. ¿Quién era la doncella?
13. ¿Cómo había mostrado su lealtad?
14. ¿Qué escribió la condesa?
15. ¿A dónde envió la tarjeta?
16. ¿A quién entregó la tarjeta?
17. ¿Qué traía Lucía?
18. ¿Dónde lo había encontrado?
19. ¿Qué vió la doncella?
20. ¿Qué comprendió la condesa?

EL MATRIMONIO DE DOÑA BRÍGIDA

I

Como la araña que espera en vano una mosca que nunca llega, estuvo doña Brígida Valiña, desde los quince a los sesenta,[1] esperando un marido.

Primero esperó un príncipe de sangre real, después un noble, más tarde un senador; y así sucesivamente fué bajando[2] la calidad, hasta que por último se hubiera contentado con un licenciado de presidio.

Desde que doña Brígida perdió la esperanza de encontrar marido, comenzó a frecuentar las iglesias para pedir ¡y hasta exigir! a los santos que le enviasen el deseado esposo. Resultados, nada.

Aquella mujer tenía una lengua como navaja de afeitar. A los hombres los llamaba[3] pillos, herejes, canallas o granujas. Decía a todo el mundo que no quería casarse porque los hombres le causaban horror. Siempre que podía, aprovechaba la ocasión para introducir la discordia en los hogares, y su mayor placer consistía en destruir la paz de los matrimonios. En resumen, doña Brígida reunía todas las cualidades necesarias para echar abajo la reputación de la casta Susana[4] y exasperar al mismo Job.[5]

Una mañana, viendo que nadie le atendía su petición, decidió pedirle protección al diablo. Recordó en seguida multitud de historias de antiguos pecadores que vendieron su alma[6] a cambio de riquezas, y se decidió a vender también la suya por un buen marido.

En efecto, aquella misma tarde envió por correo una esquela que decía así:

Satanás:

Te invito a que vengas ante mí para venderte mi alma.

Brígida Valiña

Al día siguiente recibió la respuesta, encerrada en un diminuto sobre.

Infierno, 27 de agosto de 1936.

Sra. doña Brígida Valiña.

Muy distinguida señora mía:

He recibido su atenta esquela de ayer, y me apresuro a contestarle. Hace tiempo que me retiré del negocio de la compra de almas porque en estos tiempos las puedo hallar, como quien dice,[7] a la vuelta de la esquina; sin embargo, como me precio de galante[8] con las damas, y sobre todo, por ser Vd.[9] una parroquiana antigua a quien debo tantos favores, tendré mucho gusto en complacer a Vd., haciéndole una visita mañana a las tres de la tarde.

Soy su muy humilde servidor q. b. s. p.,

El Diablo

Doña Brígida quedó encantada con tan amable respuesta.

—¡Qué fino es Satanás!—exclamó. —¡Quién lo había de suponer![10] ¡Y yo que lo he tratado de tú, creyendo que era un mal educado!

II

A las tres de la tarde, doña Brígida, que tenía más hígados que un guardia civil, se sentó en su cuarto, dispuesta a recibir a Satanás. Pensaba que, de un momento a otro, se filtraría por las paredes, disfrazado de serpiente o en forma de dragón, arrojando llamas por la boca.

De pronto llamaron a la puerta.

Levantóse a abrir, refunfuñando, y apareció ante ella un caballero de mediana edad, alto, moreno, simpático, y muy elegante.

—¡Vaya un importuno!—se dijo para sí doña Brígida. —¡En qué críticos momentos viene este tío a molestarme!

Después de los saludos de cortesía, sentáronse uno frente al otro, el desconocido y la señora Valiña; ésta, deseosa de terminar pronto la visita, preguntó con sequedad:

—¿Qué deseaba usted, caballero?   5

—Señora, vengo a la cita que Vd. me ha dado.

—Pero, ¿quién es usted?

—El diablo en persona, para servir a usted.

—¡Cómo!—exclamó asombrada doña Brígida. —¿Es posible que sea Vd. el diablo? ¡Un hombre tan fino y tan 10 distinguido!

—Veo, con dolor, que usted tenía de mí una opinión que no merezco. Confieso que en otros tiempos he usado ciertos disfraces que impresionaban a la gente ignorante, pero hoy día esos efectos teatrales resultan[11] ridículos. 15

—¡Y yo que[12] creí que tenía usted cuernos y rabo!

—Las modas cambian, señora. Y ahora, si a usted le parece, entremos en materia. Yo deseo saber, señora, en qué puedo servirla a usted. ¡Créame que tendré muchísimo gusto en complacerla!

—¡Gracias! Pues yo deseaba . . .

—¡Hábleme con toda franqueza, como si yo fuese su hermano!

—Yo deseaba . . . casarme.

—Me parece una idea excelente. Es otra alma que entrará por mis puertas sin trabajo alguno; porque, seguramente, bastará usted sola para condenar a su marido . . . ¿Ha escogido usted ya esposo?

—Le he llamado a usted precisamente para que lo busque.

—¡Señora, yo no tengo agencia de matrimonios!

—A cambio de sus servicios puede usted contar con mi alma.

—Ya cuento con ella sin que usted me la ofrezca.[13] De todos modos, por ser usted[9] una de mis mejores parroquianas, le buscaré a usted marido. ¿Cómo lo quiere usted?

—Joven, guapo y rico.

—¡Canastos! ¡Eso es imposible! Perdóneme que le hable con esta franqueza.[14] Creo que entre nosotros, no debemos andar con paños calientes.

—Yo quiero riquezas . . .

—Perfectamente.[15] Eso es muy humano. Yo le daré a usted todo el dinero que necesite, y acudirán los pretendientes como moscas a un panal.

—Le repito que quiero un hombre rico que se case conmigo sabiendo que soy pobre.

—Pero ¿por qué?

—Porque necesito uno que me quiera, no por mi dinero, sino por mi cara bonita.

Al oír esto, el diablo se quedó mirando la cara de doña Brígida, con un palmo de boca abierta.

—¡Enamorarse de usted! ¡Señora, no llega a tanto mi poder!

—¡Bah! Ya veo que es Vd. un pobre diablo, sin ingenio para nada.

—Déjeme usted reflexionar un instante—, contestó Satanás, apoyando la mejilla en la mano.

Hubo un momento de silencio. Doña Brígida esperaba impaciente.[16]

De pronto el diablo se levantó gritando:

—¡Tengo una idea soberbia!

—¿Qué? ¿Me ha encontrado usted marido?

—¡Señora!—continuó Satanás con aire resuelto—; yo soy soltero, y necesito mujer que me cuide y mire por la casa. Vd. reúne todas las condiciones necesarias . . . para que se la lleve el diablo. ¿Quiere Vd. ser mi esposa?

—¡Qué dice usted!—exclamó doña Brígida, que no esperaba esa declaración . . . así, «tan de repente.»

—Lo que usted oye, señora. Con mi mano, le ofrezco a usted el segundo reino del universo. Es verdad que es un poquillo caliente . . .

Miró doña Brígida al diablo, frente a frente, y luego, entornando los ojos y con un tono de violín destemplado, le dijo:

—¡Acepto!

—¡Gracias, gracias, señora! ¡Me hace usted relativamente feliz!

—Bueno; pues . . . las cosas hay que hacerlas[17] pronto —dijo doña Brígida, temerosa de que el diablo retirase su petición oficial de mano. —Arregle Vd. los papeles para la boda, y si puede ser hoy, no esperemos a mañana.

—Mis papeles ya están arreglados. Dentro de ocho días nos casaremos, si a usted le parece bien.

—¡A mí me parece de perillas!

—Pasaremos la luna de miel en España para que el cambio no le resulte a Vd. demasiado brusco. Después de seis meses bajaremos a nuestro hogar . . . ¡Oh, qué felices vamos a ser! Vd. me ayudará a inventar nuevos tormentos para los condenados; nos bañaremos en una caldera de aceite hirviendo . . .

—¡Eso será como yo disponga!—dijo doña Brígida, dando una patada en el suelo.

—¡No se incomode usted, señora! ¡Los baños de aceite 5 son muy saludables! ¡Todos los médicos me los recomiendan!

—¡Pues, báñese usted solo, jinojo!

Al fin se pusieron de acuerdo en la cuestión del baño, y partió el diablo para arreglar los preliminares de la 10 boda.

III

A los ocho días,[18] con asombro y estupefacción del vecindario, se verificó el matrimonio de doña Brígida con un caballero desconocido de arrogante figura. Todo el mundo hacía conjeturas, sin que nadie pudiese averiguar las razones que habían llevado a aquel señor a 15 casarse con tan mala mujer.

El diablo, desde el primer día de su casamiento, comenzó a enflaquecer y a perder el apetito: doña Brígida lo mataba a disgustos. Ella tomó las riendas del 20 gobierno, y desde aquel momento comenzaron a llover sobre la tierra pestes, guerras y calamidades de todo género. Hasta en el mismo infierno se asustaron de aquel nuevo sistema político que acabaría con el mundo en un mes, agotando para siempre la fuente de los ingresos . . . 25

Al cabo de un mes, dominado completamente por aquella maldita vieja, el pobre Satanás ya no pudo resistirla más; y dando un fuerte estampido, desapareció en las profundidades del abismo, dejando viuda en esta tierra a su insoportable mujer. Cuando se vió seguro 30 dentro de su propia mansión, respiró con fuerza, exclamando con alegría:

—¡Caracoles! ¡De buena me escapé![19]

Desde entonces, el diablo no está tranquilo en su propia casa. Cada vez que llaman a la puerta, le tiemblan las piernas.²⁰

—¡Mirad quien es, antes de abrir!—les dice a sus subordinados.

Y si le dicen que es una señora, pregunta:

—¿Cómo es?

—Es una señora vieja . . .

—¡Cerrad! ¡Pronto! ¡Pronto!—exclama asustado.

—¡Si será Brígida!²¹

Adapted from Enrique Labarta: *El matrimonio de doña Brígida*

NOTES

¹ **desde . . . sesenta** from the age of fifteen to sixty

² **fué bajando** she kept on lowering (14)

³ **A los . . . llamaba** She called men (26a)

⁴ **casta Susana** *a young Jewish matron falsely accused of immorality and saved from death by the prophet Daniel*

⁵ **Job** *See the book of Job in the Old Testament. He has become the symbol of patience*

⁶ **su alma** their souls, *singular in Spanish because each one has but one soul*

⁷ **como quien dice** so to speak

⁸ **me precio de galante** I take pride in being attentive

⁹ **por ser Vd.** because you are

¹⁰ **¡Quién . . . suponer!** Who would have thought it?

¹¹ **resultan** turn out to be

¹² **que** *Omit in translating.*

¹³ **sin . . . ofrezca** without your offering it to me

¹⁴ **con esta franqueza** so frankly

¹⁵ **Perfectamente** All right.

¹⁶ **impaciente** *Translate as an adverb.*

¹⁷ **las** (26a)

¹⁸ **A los ocho días** A week later

¹⁹ **¡De . . . escapé!** I was lucky to get out of this!

²⁰ **le . . . piernas** his legs shake. *The indirect object is used to show possession, replacing the possessive adjective.*

²¹ **¡Si será Brígida!** It may be Bridget!

ACTIVE VOCABULARY

el aceite oil, olive oil
el alma *f.* soul
arreglar to arrange, put into order

asustar to frighten
caliente hot, warm
contar con (ue) to count on
de pronto suddenly

disfrazado, -a disguised
dominado, -a controlled
en efecto in fact
en seguida at once
la esquina corner
guapo, -a handsome, good-
looking
la iglesia church
llover (ue) to rain

la mejilla cheek
moreno, -a brunet, dark
la pierna leg
por último finally
el príncipe prince
resultar to turn out
simpático, -a likable, agreeable

CUESTIONARIO

I

1. ¿Qué estuvo esperando doña Brígida?
2. ¿A quién esperó primero?
3. ¿Para qué iba ella a las iglesias?
4. ¿Qué decía ella de los hombres?
5. ¿En qué consistía su mayor placer?
6. ¿A quién le pidió protección?
7. ¿Qué hizo ella esa misma tarde?
8. ¿Recibió ella respuesta?
9. ¿Qué le ofreció Satanás?
10. ¿Qué exclamó doña Brígida?

II

1. ¿A qué hora vendría Satanás?
2. ¿Quién llamaba a la puerta?
3. ¿Qué le preguntó doña Brígida al caballero?
4. ¿Quién era este caballero?
5. ¿Creía ella que Satanás era un hombre distinguido?
6. ¿Deseaba algo la señora?
7. ¿Por qué no puede satisfacer Satanás este deseo?
8. ¿Qué clase de marido quería ella?
9. ¿Cuánto dinero le ofreció Satanás?
10. ¿Qué necesitaba Satanás?
11. ¿Qué le ofrece él?
12. ¿Contestó doña Brígida a la oferta?
13. ¿Cuándo se casarán?

14. ¿Dónde pasarán la luna de miel?
15. ¿Cuándo irán a su nuevo hogar?

III

1. ¿Por qué empezó a enflaquecer Satanás?
2. ¿Qué ocurrió al cabo de un mes?
3. ¿Qué exclamó Satanás?
4. ¿Qué dice él cuando llaman a su puerta?
5. ¿Vive muy feliz Satanás?

EL DESERTOR

I

Son las diez de la mañana y el sol quema en el valle.
Llueve fuego[1] sobre el río. La calina principia a extender
sus velos en la llanura y envuelve en gasas las montañas.
Ni el vientecillo más leve mueve las hojas de los árboles.
Canta la cigarra en las espesuras y el «carpintero» golpea   5
el duro tronco de las ceibas. En pintoresca ronda un
enjambre de mariposas de mil colores busca en los charcos
humedad y frescura. El bosque de higueras bravías y
sonantes bananeros convida al reposo, y las orquídeas de
aroma matinal embalsaman el ambiente.   10

Un manguero de esférica y gigantesca copa; a su pie
dos casas de carrizo con techos piramidales: una que
sirve de cocina y otra, cómoda y amplia, donde vive la
honrada familia del tío Juan.

Afuera canta el gallo muy pagado[2] de la hermosura   15
de sus cuarenta gallinas. En el empedrado del portalón,
Alí, el viejo y cariñoso Alí, sueña con su difunto amo,
gruñe, y, de tiempo en tiempo, sacude la cola para espantarse[3] las moscas. En su estaca de hierro un loro
parlotea sin parar:[4] «¡Lorito, perro, perro! . . . ¿Eres   20
casado? . . . ¡Ja . . . ja . . . ja . . . ! ¡Qué regalo!»

Los hijos están en el campo, en el cafetal o en la
dehesa. Las dos muchachas, Lucía, la[5] de los ojos negros,
y Mercedes, la del cuerpecito gentil, están muy ocupadas
en la cocina.   25

Doña Luisa, sentada en su silla, trabaja en el portalón.
La desdichada mujer, antes tan fuerte y animosa, se
siente ahora débil y cobarde. No han bastado[6] para
calmar su dolor tres largos años de llorar día y noche.
Pasan las semanas, y los meses, y ¡en vano! No puede   30
olvidar a tío Juan, a su «pobre Juan,» como ella le
llamaba. Ni un instante aparta de la memoria aquella

34

noche horrible y tempestuosa en que unos bandidos
asesinaron al honrado campesino cuando volvía de la
ciudad.

—¿De qué sirve la abundancia que reina en esta casa?
—piensa doña Luisa. ¿De qué sirve, si quien debía gozar
de ella, quien trabajó tanto para conseguirla, no vivo
ya?[7]

La buena anciana prende la aguja en el percal, se
quita los anteojos y enjuga sus mejillas con la punta de
un gran pañuelo azul. Suspira, y reza, quedito, muy
quedito . . .

II

El desertor salió al campo con Antonio. El pobre
hombre es trabajador y se desvive por ayudar a los
muchachos, pagando así la hospitalidad que recibe.
Cuida de los animales cuando los muchachos están en la
ciudad, desgrana mazorcas y labra cucharas y tenedores.
En la noche, después del rosario y de la cena, se pone a
leer. Sabe leer y escribir muy bien. Doña Luisa le quiere
mucho. El desertor—así le llaman todos—paga el cariño
de la anciana leyéndole las Vidas de los Santos en un
tomo del *Año Cristiano* muy viejo y comido de polilla.

De todos se oculta, temeroso de ser conocido y delatado
a la autoridad. Pero allí está seguro, protegido por
aquellas gentes tan nobles y sencillas, que le miran con
lástima y le tratan como si fuera de[8] la familia. Los
muchachos le traen de la ciudad puros, cigarrillos y
aguardiente. Le hallaron una mañana en el cafetal,
dormido, cansado, enfermo, acaso muriéndose de hambre.
Le despertaron, le montaron en el caballo y le llevaron
a la casa.

Dice el desertor que es de Sonora; que fué arrebatado
de su casa por la leva; que era feliz al lado de su mujer
y de sus hijos: una niña que apenas gateaba y un
chiquitín muy vivo que hacía ya unas planas tan lindas

. . . Dice que desertó porque estaba cansado de aquella esclavitud y que, si llegan a[9] descubrirle, le fusilarán sin remedio. Cuando habla de esto, doña Luisa, muy conmovida, le tranquiliza, diciéndole que en su casa está seguro, que cuando quiera irse tendrá caballo y dinero para el viaje, no mucho, pero algo, lo que se pueda[10] . . .

III

Aun no vuelven del campo los muchachos. La madre sigue en su labor y las muchachas disponen el almuerzo. Óyense voces desconocidas. Cinco hombres llegan armados de carabinas: el teniente de justicia y los suyos.[11]

—¡Alabado sea Dios!

—¡Alabado sea!—murmura la viuda, dejando la obra.

—¡Adelante!

—Comadrita, buenos días . . . ¿Cómo va de males?[12] ¿Y las muchachas, y Antonio y Pedro?

—Buenos, compadre. Siéntese aquí . . . ¿Qué le trae por acá?

—¡Ay, comadre! ¡Cosas!

—¿Viene a llevarse a mis hijos?

—No . . .

—Como viene armado y con tanta gente . . .

—No, comadrita . . . cosas de la tenencia.

—Pronto vendrá la cosecha. Los traerá Vd. a todos para que se diviertan. ¡Sólo el pobre Juan no se divertirá! ¿Se acuerda—añadió con ternura—cómo se divertía? Parecía un muchacho.

—Sí, comadrita, pero consuélese, que nada se hace sin la voluntad de Dios . . .

—¿Qué le trae por acá, Pablo?

—¡Ay, comadre! Una orden del juez, ésta . . . —y sacó del bolsillo un papel doblado. —¡Es que acá tienen escondido un hombre!

Doña Luisa se estremeció.

—¿Un hombre?

—Sí, un hombre que es un criminal. Ustedes lo tienen escondido aquí, sin saber quién es . . . porque si lo supieran . . .

—Pues, ¿quién es?

—Dicen . . . El juez dice que

—La verdad es—replicó la anciana, llena de susto—, que aquí estuvo un pobre desertor . . . Nos pidió hospitalidad, y se la dimos . . . Ya sabe: Dios manda[13] ayudar al pobre. Pero el pobrecito ya se fué . . . el domingo. ¡Pobres gentes! Los llevan al ejército, después desertan y luego los quieren fusilar . . .

—Sí, comadrita, muy cierto es eso, pero el que estuvo aquí no es desertor.

—Pues, entonces, . . . ¿qué es?

—Yo, la verdad, no quisiera decírselo, pero . . . desertor . . . ¡no es! En el Juzgado me dijeron que era . . .

—¡Acabe,[14] compadre, por María Santísima!

—Pues, uno de los que . . . uno de los que mataron al pobre compadre Juan.

—¿De veras?—exclamó la anciana pálida como un cadáver. El teniente hizo una señal afirmativa.

—¡No! No lo crea . . . serán[15] calumnias . . .

—Sí, comadrita . . . Sí, ya los otros lo confesaron todo. ¡Seguramente los van a fusilar!

—¡Pues si es así, que sea![16]—replicó doña Luisa.
—¡Que sea! Ya está perdonado . . . ¡Si viera,[17] compadre! Ese hombre no tenía cara de asesino. ¡Si viera[17] cómo leía las Vidas de los Santos! . . . Si quiere, registre la casa.

. . . .

Fuése el teniente seguido de sus compañeros. Unos momentos después llegaron los muchachos. El desertor, temeroso de ser descubierto, se había quedado en el cafetal.

IV

La viuda y las muchachas hablaban en el portalón con Pedro y con Antonio.

—Pero, ¿quién lo denunció?—preguntó Antonio.

—¡Quién sabe!

—Entonces, madre, que se vaya al instante. Le daremos un caballo y dinero. 5

—¡Como tú quieras; lo que quieras, pero pronto!

—Tú, Pedro—, dijo Antonio—, te vas[18] al otro lado de la barranca; le das[18] el caballo con la silla vieja; le dices[18] que todo se lo regalamos. Tú, Lucía, recoge sus 10 cosas y hazle[19] su maleta . . . Voy a traerlo para que se despida de ustedes . . .

—No, Antonio, no. ¡No quiero verlo aquí!—replicó la anciana, inquieta y sombría, en lucha con su conciencia. 15

—¿Por qué?

—¿Y si vuelve mi compadre?

—Tiene Vd. razón.

V

Al volver Antonio,[20] la viuda y sus hijas estaban en el portalón, esperando ver al fugitivo cuando pasara por 20 el puente.

—¡Se va llorando! No quería, no quería . . . —contaba Antonio.

—¡Pobre!—murmuraban las muchachas, y lloriqueaban. 25

Doña Luisa ya no pudo más.[21] Llamó aparte a su hijo, y le dijo en voz baja:

—¿Sabes quién es ese hombre?

—¡No!

—¡Uno de los que mataron a tu padre! 30

La heroica mujer no dijo más, y se cubrió el rostro con las manos.

Antonio entró rápidamente en la casa y salió con un rifle.

En aquel momento, el «desertor,» con la maleta al hombro, iba[22] llegando al puente. Antes de atravesarlo, se volvió para saludar a los de la casa y gritaba:

—¡Adiós! ¡Adiós!

Antonio preparó el rifle y apuntó.

A la vista del arma, doña Luisa se dirigió hacia el vengador:

—¡No tires, hijo mío!—gritaba la anciana con sublime energía. —¡Dios te está mirando!

El joven bajó el rifle, lo arrojó con desprecio, y quedó mudo, fija la vista en el suelo. Después, sin desplegar los labios, pasito a pasito, se acercó a la viuda y la abrazó.

Lucía y Mercedes se miraban atónitas.

El desertor pasó el puente, subió la cuesta y se perdió en la espesura.

El loro parloteaba en su estaca: —¡Ja . . . ja . . . . ja . . . ! ¡Qué regalo!

Adapted from Rafael Delgado: El desertor

NOTES

[1] **Llueve fuego** The fiery rays of the sun fall
[2] **pagado** pleased
[3] **espantarse** to frighten away (from himself)
[4] **sin parar** incessantly
[5] **la** *she*
[6] *The subject is* **años.**
[7] **no vive ya** is no longer alive
[8] **como si fuera de** as if he were a member of
[9] **llegan a** succeed in
[10] **lo que se pueda** whatever can be done
[11] **los suyos** his men

[12] **¿Cómo va de males?** How are your troubles?
[13] **manda** *Add* us.
[14] **¡Acabe!** Out with it!
[15] **serán** *future of probability* (15)
[16] **que sea** so be it
[17] **Si viera** If you could only see
[18] *Translate as commands.*
[19] **hazle** pack for him
[20] **Al volver Antonio** When Anthony returned
[21] **ya . . . más** could stand it *no* longer
[22] **iba** was (14)

ACTIVE VOCABULARY

adelante forward
el almuerzo lunch
el ambiente atmosphere
añadir to add
atravesar (ie) to cross
el bolsillo pocket
el caballo horse
el campesino peasant
la cena supper
la cocina kitchen
convidar to invite
de veras really

divertirse (ie) to have a good
time, to amuse oneself
espantar to frighten
el gallo rooster
el hierro iron
inquieto, –a uneasy, restless
lindo, –a pretty
ocupado, –a busy
el pañuelo handkerchief
servir de (i) to serve as
suspirar to sigh

CUESTIONARIO

I

1. ¿Qué hora es cuando empieza el cuento?
2. ¿Cuántas casas hay?
3. ¿Quiénes viven en las casas?
4. ¿Qué hace Alí?
5. ¿Dice algo el loro?
6. ¿Dónde están los hijos?
7. ¿Quiénes son las hijas de doña Luisa?
8. ¿Dónde está la señora ahora?
9. ¿Por qué se siente débil y triste?
10. ¿Qué le pasó al tío Juan?

II

1. ¿En qué se ocupa el desertor?
2. ¿Qué hace él por la noche?
3. ¿Qué le traen los muchachos de la ciudad?
4. ¿Cómo le habían hallado?
5. ¿De dónde es el desertor?
6. ¿Con quiénes era feliz el desertor?
7. ¿Cómo le tranquiliza doña Luisa?
8. ¿Qué le han ofrecido para el viaje?

III

1. ¿Quiénes llegaron a la casa de doña Luisa?
2. ¿Por qué ha venido el teniente de justicia?
3. ¿A qué invita doña Luisa al teniente?
4. ¿Qué dijo doña Luisa del desertor?
5. ¿Por qué buscaban a este hombre?
6. ¿Cómo saben que es un criminal?
7. ¿Por qué no lo cree doña Luisa?
8. ¿Quiénes llegaron unos momentos después?

IV

1. ¿Qué le regaló la familia al desertor?
2. ¿Por qué no quiere doña Luisa ver al hombre?
3. ¿Quién le hace la maleta?
4. ¿Cómo sabemos que el desertor no quería irse?
5. ¿A quién habló la madre en voz baja?
6. ¿Qué fué a buscar Antonio?
7. ¿Qué hizo el desertor antes de atravesar el puente?
8. ¿Qué hizo Antonio después de arrojar el rifle?
9. ¿Por dónde pasó el hombre?
10. ¿Qué decía el loro?

SALIRSE CON LA SUYA

I

No PUEDE dar el cronista noticia alguna de cómo nacieron los amores de Pin de la Llosa y Carmela Pomares. Él era el mozo más gallardo y ella la moza más

airosa de la vecindad. Aunque se conocían desde la infancia y se vieron crecer día a día, sus recíprocas inclinaciones amorosas empezaron, según parece, por casualidad. Un día se encontraron en el camino, con dirección opuesta,[1] él, sediento, y ella con una cántara de agua en la cabeza.

—¿Quieres darme[2] de beber, Carmela?—rogó Pin.

—Sí, hombre, sí. Primero a ti que al rey.

—No tanto[3] . . . —dijo él, risueño, tomando un cantarillo lleno de agua.

—Hombre, es que el rey está más lejos que tú . . .   5

—¡Aaah!

Bebió Pin hasta saciarse, y después de chasquear la lengua contra el paladar, le dijo:

—¡Está buena,[4] de verdad! Gracias. No parece agua de la fuente.

—Pues, de allá es.   10

—Será[5] entonces porque me la diste tú.

—No seas zalamero—respondió ella, mostrándose agradecida con una sonrisa seductora.

Se miraron a los ojos fijamente.[6]   15

—Adiós, Pin.

—Adiós, Carmela.

Quedóse él confundido, en medio de la calleja, viéndola irse y sintiendo que le crecía en el pecho[7] una rara ansiedad a medida que[8] aumentaba la distancia entre   20
los dos. Ella, movida por una inquietud jamás sentida, volvió la cabeza, para verle alejarse. Sus miradas se encontraron con violenta sorpresa.

—Adiós, Carmelina.

—Adiós, Pin.   25

Sus voces estaban esta vez trémulas.

II

Desde entonces, ninguno[9] de los dos pudo pensar más que en el otro. Se veían en casa de ella, todos los atardeceres, y durante el día sólo pensaban en la puesta del sol, que siempre llegaba con lentitud y retraso desesperantes.   30

Pero estos amores estaban amenazados de un grave peligro: la soberbia de Sabel de la Llosa, madre de Pin. Ambos sabían de antemano que la oposición de Sabel al matrimonio iba a ser un enemigo implacable. ¿Qué mujer podía merecer a su hijo? Por supuesto, ninguna. Sabel no sólo lo creía sino que lo pregonaba por todas partes. Por eso, los novios vivían en perpetua desazón.

—¿Me quieres mucho, Carmelina?

—Hombre, ¿para qué me lo preguntas?

—Porque me gusta oírtelo.

—Lo que falta es que me quiera tu madre. Si dice que no,[10] vas a ver entonces si te quiero.

—¿Qué vas a hacer, cielín?

—Me tiro a la presa del molino o me dejo caer bajo la prensa del lagar.

La emoción de ambos estableció una profunda pausa.

—No te apenes, Carmelina. Nolón va a encargarse de hablarle a mi madre; es como abogado para convencer a la gente . . .

III

Sabel de la Llosa era viuda de un *americano* que había gozado fama de rico en la aldea. Hija de padres humildes, Sabel no había aportado al matrimonio más que una hermosa figura de mujer, de la que aún quedaban en ella, aunque ajamonada, abundantes vestigios.

Su hijo Pin se había criado entre aldeano y señorito.[11] Buen mozo, hijo único, y con suficientes recursos para vivir sin trabajar, era lógico que su soberbia madre quisiera poco menos que una princesa para su hijo. Sabel vivía tranquila, aunque las frecuentes escapadas del hijo a la aldea inmediata le hacían presentir algo malo.

Cierto día llegó Nolón a la casa de Sabel, ya anochecido.[12]

—Buenas noches, Sabel.

—¡Hola, Nolón! ¿Qué viento te trae?

—La casualidad. Pasaba por aquí, y como hace tanto tiempo que no nos vemos[13] . . .

Después de breve pausa, Nolón preguntó:

—¿Dónde está tu hijo?

—No me lo preguntes. Es cosa que me tiene preocupada. ¿Estará enamorado, Nolón?

—¿Que si está enamorado? Pero ¿cuándo quieres que le entre el cosquilleo del matrimonio?[14] ¿Después de viejo?

—Entonces, ¿es verdad, Nolón? ¡Ay, Virgen Santa! Dime la verdad, Nolón. No, no me la digas, que vas a matarme. ¡Ay, Señor, ahora caigo en la cuenta![15] ¡Ay, hijo mío, ya no quieres a tu madre! ¡Nolón, cuéntame la verdad!

—Pero, ¡qué canastos, Sabel! ¿No sabías nada de eso? Tu hijo está enamorado y más atontado que un burro.

Los ojos de Sabel se desorbitaron de asombro. La emoción y la rabia la dejaron suspensa un instante.

—¡Ay, Nolón, qué desgraciada soy! Voy a quedarme sola en mi vejez. ¡Casarse! . . . ¡No y no . . .![16] Antes lo mato.

—Pero, mujer, ¿cómo vas a ponerte en contra de los designios de Dios?

—No y no.

—Bueno, de todas maneras, la cosa no tiene remedio.[17] Si tú no lo matas, entonces tu hijo va a morir de mal de amores. Porque el caso es que . . .

Nolón se detuvo para despertar la curiosidad en ella. Era un gran psicólogo Nolón. El éxito fué completo. Sabel le miró llena de ansiedad, y preguntó:

—¿Qué? Dilo. No te atragantes.

—Vale más que no hable. Es malo mezclarse en ciertas cosas . . .

—Pero ¿qué es ello, Nolón? No me dejes la espina adentro.

—Pues, la moza no quiere a tu hijo, y parece que tu hijo, desesperado, piensa marcharse a América para olvidarla.

Isabel estuvo a punto de estallar de indignación. Apretando los puños por la ira, exclamó:

—¿Despreciar a mi hijo? Pero, ¿tú estás en tus cabales?

Si ésa[18] mirase bien . . . ¿No es mi hijo el mozo más *plantao* de la aldea?

—No le quiere, Isabel. No le quiere ni esto—. Nolón señaló con la uña una mínima parte del índice. Sabel se quedó absorta, cobrando fuerzas para argumentar.

—¿Hay alguna moza que no quiera a mi hijo? Pin . . . un verdadero señorito . . . ¡No puede ser, Nolón! Pero, ¿quién es ella, Nolón? Dímelo . . . No, no me lo digas, que soy capaz de ir allá a sacarle la lengua.

—Es Carmela Pomares. Ya lo sabes.

—Carmela, la del molino. Como guapa,[19] es la más guapa de aquí. Y como buena,[20] parece serlo de sobra, ¿eh, Nolón? Pero, entonces, ¿es que aspira a uno de los Reyes Magos? Esto, ¡Dios me valga! tengo que arreglarlo yo . . .

Nolón se despidió de Sabel y fué a informar a los novios de sus gestiones, con las cuales éstos vieron el cielo abierto.

IV

Al día siguiente, Sabel no se movió del corredor de su casa, esperando la llegada de Carmela a la fuente, que quedaba frente a la casa. Más tarde que de costumbre, llegó por fin la moza, con andar donairoso. Mientras Carmela llenaba una cántara de agua, Sabel descendió del corredor. Al pasar la moza,[21] se saludaron, y Sabel dijo:

—Vamos a ver,[22] niña, ¿te crees tú una duquesa para mirar a mi hijo como si fuera un trapo sucio?[23]

—El corazón es el corazón,[24] doña Isabel.

—Déjate de remilgos. Para mí que tu corazón está lleno de espinas.

—¡Señora!

—Las cosas claras,[25] Carmelina. ¿Por qué consientes que quien te quiere se ponga loco de la cabeza? No tienes corazón.

—Pero ¿es mía la culpa? Lo siento, doña Isabel, pero no hago maldad. Que lo digan estas lágrimas[26]—. Y la moza rompió a llorar, dando muestras de gran pesadumbre.

—Tú no eres mala, Carmelina. Pero, ¿por qué no le 5 das esperanza a mi hijo? Sí, niña, que estoy con el corazón deshecho desde que supe que Pin quería irse a América para olvidarte.

—Pero, ¿tanto me quiere, doña Isabel?

—Tanto y más. No lo dudes. 10

—¿Qué debo hacer, entonces?

—Lo que te digo: darle esperanzas.

—Pues, que no se marche,[27] doña Isabel. Ya me parece que le quiero un poquitín.

—¡Ay, niña! No sabes el pesar que me quitas. 15

Cuatro días después, Pin y Carmela empezaban a pensar en los preparativos de la boda, con gran contento de Isabel, porque «se había salido con la suya.»

Adapted from Españolito (pseudonym of Constantino Suárez):
Los flacos de la soberbia

NOTES

[1] con dirección opuesta going in opposite directions

[2] Quieres darme Will you give me

[3] No tanto Come now, don't exaggerate

[4] Está buena. It tastes good. Estar *is used here to transmit an impression rather than to express a quality.*

[5] *Future of probability* (15)

[6] Se . . . fijamente They gazed steadily into each other's eyes.

[7] le . . . pecho there was growing in his heart

[8] a medida que as, in proportion as

[9] ninguno neither

[10] dice que no she says no

[11] entre . . . señorito like a country gentleman

[12] ya anochecido after night had fallen

[13] hace . . . vemos we have not seen each other for such a long time.

[14] que le . . . matrimonio him to be concerned with the idea of marriage

[15] caigo en la cuenta I catch on, I see it all.

¹⁶ ¡No y no! I should say not, absolutely not.

¹⁷ de . . . remedio anyway, it can't be helped.

¹⁸ ésa that hussy

¹⁹ Como guapa As for beauty

²⁰ como buena as for being good

²¹ Al pasar la moza When the girl passed

²² Vamos a ver Look here

²³ un trapo sucio dirt under your feet; *literally,* a dirty rag

²⁴ El corazón es el corazón One's heart is one's own; one has no control over one's heart.

²⁵ Las cosas claras Let's get things straight.

²⁶ Que . . . lágrimas Let these tears speak for me

²⁷ que . . . marche Don't let him go away.

ACTIVE VOCABULARY

agradecido, -a grateful, thankful

la aldea village

alejarse to go away, withdraw

apretar (ie) to press, clench

aumentar to increase

capaz capable

confundido, -a confused, embarrassed

la cuenta account

desgraciado, -a unfortunate

de sobra more than enough, only too well

despreciar to scorn

encargarse to take upon oneself

en medio de in the middle of

el éxito success

inmediato, -a nearby, immediate

marcharse to go away

el peligro danger

por supuesto of course

risueño, -a smiling

según according to, as

CUESTIONARIO

I

1. ¿Quiénes eran Pin y Carmela?
2. ¿Cómo empezaron sus amores?
3. ¿Dónde se encontraron un día?
4. ¿Qué llevaba la muchacha?
5. ¿De dónde es el agua?
6. ¿Cómo se miraron los jóvenes?
7. ¿Qué sintió él al verla irse?
8. ¿Qué hizo ella?

II

1. ¿Dónde se veían Pin y Carmela? ¿Cuándo?
2. ¿Qué grave peligro había?
3. ¿Qué le preguntaba Pin a Carmela?
4. ¿Quién se oponía al matrimonio?
5. ¿Qué debía hacer Nolón?
6. ¿Cómo es Nolón?

III

1. ¿Era Isabel una mujer noble?
2. ¿Por qué amaba tanto la madre a su hijo?
3. ¿Por quién preguntó Nolón?
4. ¿Qué le contó Nolón a doña Isabel?
5. ¿Dijo Nolón que Carmela quería al joven?
6. ¿Qué pensaba hacer el hijo, según Nolón?
7. ¿Quería saber Isabel el nombre de la muchacha?
8. ¿Tenía Isabel una buena opinión de la muchacha?
9. ¿Con quiénes fué a hablar Nolón después?

IV

1. ¿Dónde estaba esperando Isabel?
2. ¿Cuándo llegó Carmela?
3. ¿Qué le dijo la madre a la muchacha?
4. ¿Estaba muy contenta Carmela?
5. ¿Dijo Carmela que ella amaba a Pin?
6. ¿En qué pensaron los novios ahora?

RIMA LIII

VOLVERÁN las oscuras golondrinas
en tu balcón sus nidos a colgar,[1]
y, otra vez, con el ala a sus cristales
    jugando llamarán;

pero aquellas que el vuelo refrenaban   5
tu hermosura y mi dicha a contemplar,[2]
aquellas que aprendieron nuestros nombres . . .
    ésas . . . ¡no volverán!

Volverán las tupidas madreselvas
de tu jardín las tapias a escalar,   10
y otra vez a la tarde, aun más hermosas,
    sus flores se abrirán;

pero aquellas, cuajadas de rocío,
cuyas gotas mirábamos temblar
y caer, como lágrimas del día . . .   15
    ésas . . . ¡no volverán!

Volverán del amor en tus oídos
las palabras ardientes a sonar;[3]
tu corazón de su profundo sueño
    tal vez despertará;   20

pero mudo y absorto y de rodillas,
como se adora a Dios ante su altar,
como yo te he querido . . . desengáñate,
    ¡así no te querrán![4]

Gustavo Adolfo Bécquer

NOTES

[1] *Normal order:* las oscuras golondrinas volverán a colgar sus nidos en tu balcón.

Normal order: a contemplar tu hermosura y mi dicha.

[3] *Normal order:* las palabras ardientes del amor volverán a sonar en tus oídos.

[4] *An excellent verse translation of this poem made by Mrs. W. S. Hendrix may be found in Hispania, October, 1922.*

¡DAMIÁN, VEN!

I

Fué imposible evitar el viaje. Me vi obligado a partir, aunque sabía que mi novia estaba enferma en cama y con treinta y nueve grados de fiebre.[1] Hice mi maleta y tomé el tren de la tarde para la ciudad de Los Andes, en donde debía atender un interesante negocio sobre fardos de pasto.

Con la cabeza apoyada en la mano y el codo en la ventanilla, dejé vagar la vista[2] por una extensa llanura sembrada de espinos, limitada a lo lejos por una cadena de cerros azules. Pensaba en mi novia; quizás a esa hora, reclinada en un almohadón de plumas, hacía esfuerzos para verme pasar como siempre por la calle. Casi me puse triste.

Mi única compañía era mi flamante maleta de cuero de cerdo, artículo del cual estaba yo orgulloso. Cerrada[3] se veía muy británica, muy tiesa, muy distinguida. Abierta era una especie de hogar ambulante; naturalmente, el hogar de un soltero. Tenía un gran departamento para las camisas planchadas, otro para los trajes y numerosas secciones para las demás prendas de uso inmediato.

Dejé escapar mi espíritu[4] por la ventanilla para seguir las bandadas de loros que cruzaban el cielo o para perderme entre los cerros que desfilaban lentamente ante mi vista. Así pasaron las horas. Por fin, un último silbato del tren me hizo comprender que estaba cerca de Los Andes. Al llegar, tomé mi maleta con orgullo y cariño, y me negué terminantemente a entregarla a los mozos que se ofrecieron para librarme de su peso. Sin pérdida de tiempo me dirigí al hotel.

II

A la hora de la comida bajé al comedor. Vino primero la sopa, y después un gran plato de lentejas, seguido de un trozo de pollo asado y una ensalada de apio, todo acompañado de varias copas de buen vino. Después me pusieron por delante[5] una taza de café, circunstancia que aproveché para encender un cigarro puro. Se fué el humito en espirales, y nació en mí esa conformidad del que come bien, bebe bien, y fuma bien.

Me encogí de hombros ante la enfermedad de mi novia, cuyo rostro pálido divisé a través del humo aromático del habano. Fijé entonces mi imaginación en los fardos de pasto que me habían decidido[6] a dejar mis comodidades de Santiago.

Una voz agradable me sacó de mi abstracción.

—¿Buen apetito, eh?—preguntaba el recién llegado con una sonrisita en los labios.

—Sí, bastante bueno—le dije, buscando entre mis recuerdos algún detalle que me permitiera identificarle.

—Usted parece ser de Santiago, caballero . . .

—En efecto, soy de allá. ¿Y usted?

Esta pregunta mía fué algo cortante, algo fría.

—¿Yo? De Valparaíso. Vengo por negocios y me gusta la charla. Hace dos días que con nadie converso[7] porque no hay aquí ni una persona con quien valga la pena hablar. Por este motivo, celebro su venida.

—Gracias—le dije, y, metiendo la mano en el bolsillo, saqué otro cigarro y se lo ofrecí. Él se inclinó cortésmente, cortó con los dientes la punta del cigarro, lo encendió con lentitud y arrojó hacia arriba una columna compacta de humo azulado.

Un instante después, con dos copitas de *chartreuse* por delante,[8] éramos amigos. Le hablé entre otras cosas, de mi novia, y del negocio a que había venido. Después de contarnos chistes y chascarrillos, dimos en el tema

de las ánimas. Yo no temo a la guerra, no temo a un
rival, no temo al tifus, pero sí me muero de miedo cuando
me hablan de ánimas.

—Pero ¿usted cree en las ánimas?—pregunté a mi
nuevo amigo, después de beber la última gota de la 5
copita.

—La verdad?—me contestó—, no sé si creo o no. Mire
usted, aunque soy tan campechano, debe saber que son
poquísimas las cosas en que creo. Sin embargo, las ánimas
me producen escalofríos. Yo le contaré a usted lo que pasó 10
hace dos meses en este mismo hotel. Estaba aquí hos
pedado don Damián Hinojosa, caballero de Valparaíso . . .

—Ya, ya; el casado con la directora de escuela . . .

—El mismo. 15

—Bueno. Había venido a Los Andes dejando muy
enfermo a un hermano suyo.

Un escalofrío me comenzó a correr por la espina dorsal.
¡Cáspita! La historia se me podía aplicar a mí.

—Pues bien, el hombre estaba preocupado y casi no 20
dormía esperando recibir, de un momento a otro, malas
noticias. Una noche, el señor Hinojosa, sentado en su
cama y con la vela encendida, estaba desvelado. Después
de aplicar el oído a ruidos extraños que le parecía oír en
su mismo cuarto, apagó la vela y se acostó. Al principio 25
le pareció sentir ruido de pasos muy leves sobre la alfombra. Encendió la vela, miró a todos lados y no vió
nada. Apagó la vela, y concluyó por dormirse. De repente,
se despertó sobresaltado y oyó algo como un lamento a
su lado. Parecía que una voz muy débil le gritaba desde 30
el fondo de la tierra:

—¡Damián, ven!

—El señor Hinojosa encendió la luz y, con la mano
puesta en el lado del corazón, trató de calmarse. Aquello
era horrible, desesperante. Rezó durante un largo rato, 35
apagó la vela, y reclinó de nuevo la cabeza sobre la

almohada. En ese instante le pareció que arrastraban la
maleta debajo de la cama. Volvió a encender la vela y
vió con estupefacción que su maleta estaba a un metro
de donde la había metido. Saltó del lecho, miró debajo
de la cama, buscó detrás del sofá, en la ventana, por
todas partes. Ni vió ni oyó nada. Volvió a su lecho, pálido
y desencajado, y puso otra vez la maleta en su lugar. Un
momento después, oyó otra vez el ruido de la maleta y
una voz enérgica, la misma[10] voz de su hermano:

—¡Damián, ven!

—El señor Hinojosa encendió la luz y vió la maleta,
esta vez cerca de la puerta. Se vistió en el acto, y se fué a
la estación. Cuando llegó a Valparaíso, halló que su
hermano había muerto, y lo que es más horrible, a la
misma hora en que, por segunda vez, vió su maleta fuera
del lugar en que la había puesto . . .

Mi compañero calló. Yo me quedé con los ojos abiertos
y sin poder decir una palabra. Tenía[11] el terror más
grande que he sentido en mi vida.[12]

—¿Y esto ha ocurrido en este hotel?—pregunté, afectando un aire distraído.

—Sí, señor; aquí . . .

—¿Y en qué cuarto?

—Creo que en el número nueve.

Al oír aquello, creí que desfallecía.

—¿Qué le ocurre a usted?

—Nada, nada.

—Bueno, señor, tengo mucho gusto en conocerle . . .

—Y yo lo mismo.

—Buenas noches.

—Buenas noches.

III

Ni Daniel en la cueva de los leones, ni Napoleón III
en Sedán, han sentido un terror más intenso que el que

yo sentí al verme solo en el cuarto número nueve. Recé
una hora entera. Dormí un rato con la vela encendida. Me
desperté cerca de media noche y resolví apagarla. Sólo
al amanecer, cuando empezaba a entrar luz por la ventana,
pude recobrar la tranquilidad. Lancé una mirada a mi
maleta, mi fiel compañera de viaje, y salí ese día a ajustar
el negocio de los fardos de pasto.

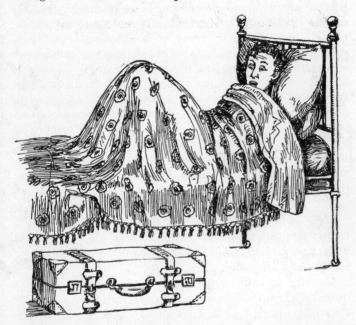

Esa tarde, a la hora de comer, me entregaron un
telegrama de mi amigo Enrique, a quien había pedido que
me enviase noticias sobre la enfermedad de mi novia. La
comunicación decía: «Fiebre ha subido. Hay consulta de
médicos.»

La noticia era alarmante. Le conté a mi nuevo amigo
lo que pasaba, y éste trató de consolarme; pero fué inútil,
porque me había invadido[13] una profunda tristeza.

Aquella noche no pude dormir, teniendo siempre presente el rostro pálido de mi novia, presa de la fiebre. Al fin cerré los ojos y dormité con fatiga. Vagué sin rumbo en la anarquía de mis ideas.

De repente oí un suspiro tristísimo cerca de mí. Contuve la respiración, abrí los ojos y los fijé en la obscuridad. Siguió un silencio de muerte. Allá muy lejos ladraba un perro. Pero un momento después creí morirme. ¿Era un sueño? ¿Era una alucinación? ¡Mi maleta se arrastraba por el suelo! Quise gritar y la voz no me salió de la garganta. Así estuve cinco minutos, que me parecieron siglos . . . Se me erizó el pelo y empecé a dar diente con diente.[14] Recé un rosario y quise atribuirlo todo a mis nervios. Muy pronto, volví a sentir que la maleta se arrastraba por la alfombra, y hasta me pareció oír una voz de mujer que me decía: ¡*Ven!* ¡*Ven!* Me cubrí con toda la ropa, y así estuve muriéndome por largas horas. Poco a poco asomé la cabeza, sentí lejanos cantos de gallo, y volví a la realidad. Entonces me reí de mis temores y pronto caí en un profundo sueño.

. . . .

Llegó la luz del sol a través de las cortinas y me levanté, riendo de gusto al darme cuenta de que los ruidos de la maleta no podían haber sido reales, puesto que no estaba allí sobre la alfombra.

Me lavé la cara, canté un trozo de *Carmen*, y hasta quise recitar unos versos de Zorrilla. Después me sequé y abrí la ventana, por la cual entró una cascada de luz. Marché a sacar la maleta . . . ¡y casi me caí de espaldas! La maleta no estaba allí. Corro afuera y grito. Viene un mozo, llega el dueño del hotel, todos preguntan, yo contesto, y ¡allí fué Troya![15]

El hecho era que me habían robado mi maleta de cuero de cerdo, que me habían hecho creer en ánimas y que «el amigo» había desaparecido. El amigo resultó[16] ser un ladrón profesional.

IV

Vine, vi, pero no vencí. Mi novia sanó después de quince días de fiebre, y lo primero que hizo, después de la convalescencia, fué mandarme a paseo.[17] Lo siento, aunque no tanto, porque otras novias hay . . . Pero ¿dónde encontraré yo otra maleta como aquélla?   5

Adapted from Joaquín Díaz Garcés (*¡Damián, ven!*)

NOTES

[1] con . . . fiebre with a temperature of 102. *The Spanish-American nations express temperatures by means of the centigrade scale.*

[2] dejé . . . vista I let my eyes wander

[3] Cerrada When it was closed

[4] Dejé . . . espíritu I let my spirit escape

[5] me . . . delante they set before me

[6] me habían decidido had made me decide

[7] Hace . . . converso I have been talking with no one for two days

[8] por delante before us

[9] La verdad The truth is

[10] misma very

[11] Tenía I was filled with

[12] en mi vida ever

[13] invadido come over me

[14] empecé . . . diente my teeth began to chatter

[15] ¡allí fué Troya! Then the fun began!

[16] resultó turned out

[17] mandarme a paseo "to give me the air"

ACTIVE VOCABULARY

agradable agreeable, pleasant
a lo lejos in the distance, far away
amanecer to dawn
arrastrar to drag
asado, -a roasted
callar to remain quiet
la comida dinner
la copa goblet, glass
cuyo, -a whose
el chiste joke
darse cuenta de to realize

debajo de under
dormirse (ue) to fall asleep
encogerse de hombros to shrug one's shoulders
fiel faithful
el humo smoke
la novia sweetheart
el orgullo pride
quizás perhaps
tener presente to bear in mind
tratar de to try to
vencer to overcome

CUESTIONARIO

I

1. ¿Por qué no deseaba el autor hacer el viaje?
2. ¿Qué tren tomó?
3. ¿Por qué tenía que partir?
4. ¿Qué veía el autor por la ventanilla?
5. ¿Por qué estaba orgulloso de su maleta?
6. ¿Qué artículos podía llevar en la maleta?
7. ¿Qué comprendió él al oír el silbato?
8. ¿A dónde se dirigió después de llegar?
9. ¿Les entregó su maleta a los mozos?

II

1. ¿Qué comió el autor esa noche?
2. ¿En qué pensaba él?
3. ¿Preguntó algo el recién llegado?
4. ¿De dónde es el recién venido?
5. ¿Qué dió el autor a su nuevo amigo?
6. ¿De qué hablaron ellos?
7. ¿Qué teme el autor?
8. ¿En qué circunstancias había venido D. Damián?
9. ¿Por qué no estaba tranquilo el Sr. Hinojosa?
10. ¿Por qué se despertó el caballero?
11. ¿Por qué no pudo dormir después?
12. ¿Qué hizo don Damián después de oír su nombre?
13. ¿Qué halló don Damián en Valparaíso?
14. ¿Dónde había ocurrido todo esto?
15. ¿Qué creyó el autor al oír esto?
16. ¿Qué dijo el nuevo amigo al despedirse?

III

1. ¿Cómo durmió el autor al principio?
2. ¿Qué noticias recibió por la noche?
3. ¿A quién contó él las noticias?

4. ¿Oyó algo por la noche?
5. ¿Por qué no pudo gritar?   *se hace mudo*
6. ¿Qué decía la voz de mujer?
7. ¿Qué hizo el autor al levantarse?
8. ¿Qué descubrió él?
9. ¿Quién era el nuevo amigo?
10. ¿Se casó el autor con su novia?
11. ¿Qué sentía el autor en especial?

EL ENTIERRO

I

Don Andrés Vega poseía cerca de los Andes una hacienda regular que explotaba todavía a la antigua. Sembrar el trigo en agosto, salir un poco a caballo y esperar la cosecha: ésos eran, hasta hace poco, los «abrumadores trabajos» del hacendado.

Como otros tantos, el señor Vega había heredado su tierra. Había sacado de ella alrededor de diez cosechas, lo que quería decir que no era hombre de escasos recursos. Su padre, agricultor entendido[1] en las tareas agrícolas, había comprado esa hacienda a[2] los herederos de un señor desaparecido[3] de allí de una manera misteriosa. Por eso la casa vieja, metida en un grupo de olmos derrengados, tenía historia. Al decir de los campesinos,[4] por allí penaba el alma del antiguo dueño.

La casa era como todas las de su tiempo: un cañón de cuartos al fondo, y dos más haciendo ángulo recto con los extremos de aquél; cuartos bajos, con ventanas anchas y pesadas, corredores largos, con ladrillos húmedos y desiguales, y pilares de madera sobre bases de piedra blanca.

II

Aquella noche, noche brumosa y bastante fría, estaba el señor Vega sentado a la mesa, solo, teniendo por delante[5] un periódico del día anterior y engullendo unas costillas de cordero que despedían el más apetitoso olor. ¡Qué aburridas aquellas horas![6] Todos los días lo mismo. Ignacio, el sirviente fiel, le servía los platos uno tras otro en un silencio imperturbable. El solterón bebía después la inevitable tacita de café, se retiraba al despacho a

recorrer los periódicos o a soñar con la linda mujercita
que pudiera haber sido su esposa.

Aquel día la comida había durado más que de costumbre. El señor Vega estaba absorto en su lectura; los
periódicos anunciaban una agitación política, una crisis 5
de ésas[7] que sólo traen un cambio de decoración.

Un golpecito seco, distinto, seguido de un carraspeo
al otro lado de la ventana, le sacó de la interesante abstracción para hacerle dirigir la vista hacia ese punto.
Seguramente era el administrador, don Simón, que venía 10
a pedir órdenes.

—¡Adelante!

Tres pasos firmes, seguros, recorrieron el espacio que
separaba la ventana de la puerta, y antes de que el señor
Vega e Ignacio hubiesen podido fijar en ello la atención, 15
se movió suavemente el cerrojo, se abrió la puerta y entró
un hombre a quien ninguno de los dos conocía. El recién
venido hizo una ligera venia, contestó con otra el caballero, y mientras aquél buscaba donde colocar su sombrero, el señor Vega le preguntó tranquilamente qué 20
asunto le traía por allí.

—Si no fuera importuno[8]—le respondió—, le suplico
que me oiga dos palabras sobre un negocio enteramente
privado.

—¿Le molesta a usted la presencia de mi sirviente?— 25
preguntó visiblemente inquieto el dueño de casa.

—Si Vd. fuese tan bondadoso que me oyera a solas . . .

Antes de que una seña de su amo se lo hubiese indicado,
Ignacio había salido del comedor sin hacer ruido.

—El negocio que me trae aquí y a tales horas[9]—dijo 30
el recién venido con cierta seguridad en la voz—va a
parecerle ridículo a primera vista. Pero una vez que le
convenza de lo serio y honrado[10] de mi propósito, no
tendrá Vd. inconveniente en aceptarlo. Se trata de un
entierro . . .   35

—Siéntese Vd. aquí—interrumpió el señor Vega, pensando ya más serenamente.—Acompáñeme con una tacita de café.

Y sin esperar contestación, llamó a Ignacio, quien apareció trayendo una bandeja de madera negra con una cafetera y dos tazas. De esta manera quería el señor Vega darse tiempo para reflexionar y tener más advertido a Ignacio. Porque ¡qué diablos! un hacendado con fama de rico, en un caserón abandonado, podía ser buena víctima para un hombre desalmado.

III

El advenedizo se bebió la taza de café de un sorbo, y se dejó observar[11] por la mirada rapaz del señor Vega. La cara del forastero no decía nada. Si es cierto que hay rostros delatores y expresivos, hay otros, en cambio, que son opacos e insondables.

Por otra parte, el hombre aquel deseaba continuar su frase interrumpida, y así, apenas vió al señor Vega encender su cigarro, prosiguió:

—Como le decía, señor, se trata de un entierro. Vd. creerá probablemente en entierros.

—Poquísimo, caballero.

—Es natural; generalmente los entierros son pretextos para estafas, burlas y engaños. El entierro de que yo vengo a hablarle es algo serio, real, exacto. Tuve yo un tío que fué minero, y, sin embargo, murió bastante pobre. Había sido hombre de negocios, y de negocios sucios. Antes de morir, nos llamó a mi padre y a mí, y nos dijo que él conocía el sitio seguro de un entierro, hecho entre él y un compañero de negocios, ya muerto. Pasaron los años, y olvidé por completo la historia de mi tío, hasta que hallé hace unos días dos planos entre los papeles que fueron de mi padre. Ahora tengo el convencimiento de[12] que aquello era una cosa seria y digna de crédito. Ahora bien, ¿estaría Vd. dispuesto a ayudarme, señor Vega? Dividiríamos las utilidades en partes iguales.

—Pero, vea Vd., señor, ¿dónde están las pruebas? ¿Dónde está ese entierro?

—Si yo le mostrase a Vd. un plano de esta casa y el sitio donde debe de hallarse el entierro, ¿me creería usted?

—Tal vez, casi, casi con seguridad.

—Bueno.

El advenedizo llevó rápidamente la mano al bolsillo interior de la chaqueta, sacó un papel algo ajado y amarillento, lo desdobló, apartando otro que estaba allí junto, y, abriendo el primero, lo puso ante los asombrados ojos del señor Vega. En el plano estaban clasificados los cuartos, los corredores, las puertas y ventanas de la casa entera.

—¿Y dónde está aquí el entierro?—preguntó don Andrés Vega, ya con intensa curiosidad.

—Vd. me permitirá, señor, que exija de usted ciertas garantías . . . yo no le conozco. Antes de mostrarle este otro plano, yo exijo que me permita Vd. entrar esta misma noche en el cuarto señalado, y que los dos nos pongamos a la obra[13] inmediatamente.

—¿Y por qué ha de ser esta noche?—preguntó con energía don Andrés.

—Porque habiéndole yo revelado a usted[14] que aquí hay un entierro, usted podría intentar sacarlo dejándome a mí a un lado.

Aquello parecía sincero y razonable. El señor Vega vaciló un momento, pero no quería dar muestras de temor; sin embargo, todo aquello era raro, extraño, sumamente peligroso.

—Veamos el otro plano—exclamó de pronto. —Acepto las condiciones bajo mi palabra de honor—. Y recordó con cierta tranquilidad que llevaba el revólver cargado en el bolsillo del pantalón.

Al instante el hombre le mostró el otro papel. Era el mismo plano, pero en uno de los cuartos más apartados

una crucecita roja acompañaba a un letrero que decía:
«Aquí está la tinaja.»

Por un momento los ojos de don Andrés se fijaron en
el letrero. ¡La tinaja! ¿Estaría llena de onzas? ¿Sería
aquello verdad? ¿Cómo se había metido en ese loco y 5
aventurado negocio que podía ser una celada infame?
Tuvo miedo; un sudor frío le corrió por todo el cuerpo,
y cuando levantó la vista del plano vió que los ojos in-
coloros del advenedizo le miraban fijos, inmóviles,
brillantes como los de un gato. 10

—Estoy a sus órdenes, caballero—dijo don Andrés con
una expresión de absoluta naturalidad.

—Es necesario llevar una piqueta y una pala, y apartar
a los criados para que no se den cuenta de qué se trata.[15]

Tomó el señor Vega una vela que estaba sobre la 15
mesa, y salió del cuarto con dirección a[16] la bodega,
teniendo siempre cuidado de echar a su compañero por
delante. Llegaron a un portón ancho y abrieron una
hoja, con el inevitable crujido de goznes mohosos. El
advenedizo se dirigió tranquilamente a un rincón, cogió 20
una piqueta, se acercó al otro extremo, cogió una pala, y
después de examinar el filo, esperó al señor Vega, quien
intencionalmente se quedaba atrás para tenerle siempre
ante su vista.

Decidieron volver por el mismo corredor al punto de 25
partida.

—¡Ignacio!—dijo don Andrés afectando la mayor tranquilidad;—puedes retirarte—. Pero al mismo tiempo le
lanzó una mirada significativa que quería decir: —No te
acuestes; vigila—. El sirviente entendió perfectamente 30
que allí pasaba algo anormal. ¿A dónde irían?[17] ¿Qué sig-
nificaba todo eso?

IV

—Aquí es[18]—dijeron los dos al llegar al último cuarto
del corredor.

—Y éste es el rincón preciso en que está la tinaja.

El cuarto era grande, húmedo, helado. El pavimento de ladrillos viejos estaba muy deteriorado. Una mosca grande y verde volaba, zumbando de un modo siniestro alrededor de la vela. El desconocido se quitó la blusa para manejar 5 mejor la piqueta, y el señor Vega se inclinó sobre la pared para examinar mejor todos los movimientos de su compañero.

Don Andrés sentía un visible malestar; un sentimiento extraño se iba apoderando de él, y cierto ardor en las 10 sienes le empezaba a molestar. Sus ojos se encontraban a menudo con los del desconocido, que lucían, iluminados por dentro, centelleantes e inquietos. ¿Era que[19] se acercaba el momento de la celada? ¿Se serviría ese desconocido de la piqueta para matarle? 15

Entretanto el compañero había dado ya cinco golpes vigorosos que habían hecho saltar algunos ladrillos. Ahora los golpes de la piqueta eran sordos.

¿Por qué le miraba ese hombre con ojos de gato? ¿Qué quería hacer? Reinaba un silencio nocturno, silencio de 20 una noche de campo; afuera, el mugido de una vaca, allá lejos, el aullido prolongado de Nerón, el perro de la casa.

El sudor bañaba la frente del desconocido, pero el señor Vega no se ofreció a ayudarle; pensaba que, inclinado sobre el suelo, con las manos ocupadas en la 25 herramienta, podía recibir fácilmente un golpe mortal sin tener tiempo para defenderse.

¡Qué horas aquéllas! Los golpes de la piqueta caían sobre algo unido y compacto. Ya no cabía duda de que en pocos instantes más verían aparecer la tinaja. La 30 codicia que empezaba a sentir el señor Vega ¿no la sentiría con mayor fuerza ese hombre que estaba allí sacando algo que en realidad le pertenecía? Los ojos del compañero ya no brillaban, estaban inflamados por el insomnio y adquirían por momentos[20] una expresión 35 siniestra.

Hubo un momento en que una desesperación nerviosa

asaltó al hacendado. La vela se extinguía ya. Los ojos del hombre siguieron mirándole, hasta que la llama de la vela se apagó por completo. Don Andrés no podía ver lo que hacía su compañero, pero sí sentía[21] muy cerca su respiración fatigada. ¿Venía a matarle? Jamás había tenido sufrimiento más espantoso. Esperó, así, sin respirar.

—Encendamos otra vela—, dijo al fin el hombre, con voz aparentemente tranquila.

El señor Vega se acercó a la ventana, y encendió otra vela, observando los menores movimientos de su compañero . . .

Era ya la media noche. La piqueta volvió a golpear la tierra con verdadera fiebre. Al cabo de un rato, el advenedizo se detuvo y miró fijamente al hacendado. De repente la piqueta pareció haber tocado una piedra.

—¡La tinaja!—gritaron ambos con una voz sorda.

V

Siguieron cavando a los lados, y la tinaja iba apareciendo.[22] Cerca del amanecer, cuando la segunda vela iba ya a apagarse, el compañero soltó la piqueta y dijo:

—Es menester levantarla.

El señor Vega se inclinó con más temor que nunca sobre el borde de la excavación, y pensó que quizás ése sería el último momento de su vida.

La emoción era inmensa. Esa tinaja tan pesada ¿estaba llena de oro? ¿Serían ricos? ¿Saldrían de allí con dinero, o sería uno la víctima del otro?

—¡Una idea!—dijo el señor Vega de pronto. —¿Por qué no rompemos la tinaja con la piqueta?

Un golpe formidable cayó sobre un costado del gigantesco vaso; otro más fuerte lo cascó. Por fin, un tercer y último golpe lo partió de medio a medio. Las mitades se separaron con lentitud y cayeron pesadamente sobre los muros de la excavación.

En ese momento lanzaron los dos un grito apagado. Dentro de la tinaja había unos huesos humanos.

Se miraron, mudos, pálidos. La vela se apagó, y en medio de las sombras los ojos de gato del desconocido lanzaron una mirada interrogadora. Entonces la luz cayó sobre sus almas, haciendo desaparecer la codicia y la desconfianza. Mentalmente reconstruyeron la escena 5 pasada[23] allí en años anteriores: veían a dos hombres que hallaban el oro de la tinaja, y después una lucha en que el más fuerte vencía al más débil, dejándole allí enterrado, para gozar a solas del dinero.

Mientras el desconocido pensaba con mortal ansiedad 10 que su propio padre era la única otra persona que poseía el secreto, el señor Vega recordó la misteriosa muerte del antiguo dueño de la hacienda.

Y las miradas de esos dos hombres, que hasta entonces se habían cruzado como dos puñales, se encontraron ahora 15 llenas de angustia, y se perdonaron.

Un rayo de luz amarillenta, el primero del día, cayó en el fondo del helado cuarto . . .

Adapted from Joaquín Díaz Garcés: *Un siglo en una noche*

NOTES

[1] **entendido** expert
[2] **a** from
[3] **desaparecido** who had disappeared
[4] **Al . . campesinos** According to the peasants
[5] **por delante** before him
[6] **horas** *Add* were.
[7] **una crisis de ésas** one of those crises
[8] **Si no fuera importuno** If I am not intruding
[9] **a tales horas** at such an unusual hour
[10] **lo . . . honrado** the seriousness and honesty
[11] **se dejó observar** he let himself be observed
[12] **tengo . . . de** I am convinced

[13] **los dos . . . obra** we both get to work
[14] **habiéndole . . . usted** after I had revealed to you
[15] **no . . . trata** they will not realize what is going on
[16] **con dirección a** in the direction of
[17] **¿A dónde irían?** Where could they be going? (15)
[18] **Aquí es** This is the place.
[19] **¿Era que . . .?** *Omit in translating.*
[20] **por momentos** momentarily
[21] **sí sentía** he *did* hear
[22] **iba apareciendo** was gradually appearing (14)
[23] **pasada** which had taken place

ACTIVE VOCABULARY

aburrido, -a boring, bored
alrededor de around
la angustia anguish
la cosecha crop, harvest
durar to last
entretanto meanwhile
el espacio space, period
la frente forehead
honrado, -a honest, honorable
el inconveniente objection

intentar to try, attempt
ligero, -a slight, light
peligroso, -a dangerous
servirse de (i) to make use
of
soltar (ue) to drop, loosen
tener cuidado to be careful
el trigo wheat
verde green

CUESTIONARIO

I

1. ¿Cuáles eran los trabajos de don Andrés?
2. ¿Era el hacendado un hombre pobre?
3. ¿A quién habían comprado la hacienda?
4. ¿Qué decían los campesinos?
5. ¿Cómo era la casa?

II

1. ¿Qué estaba leyendo don Andrés?
2. ¿Qué anunciaban los periódicos?
3. ¿Qué hacía el Sr. Vega después de tomar el café?
4. ¿Qué oyó el Sr. Vega?
5. ¿Era amigo suyo el recién venido?
6. ¿Sobre qué quería hablar el hombre?
7. ¿Le molesta la presencia de Ignacio?
8. ¿Qué hizo Ignacio entonces?
9. ¿Ofreció algo don Andrés al hombre? ¿Por qué?
10. ¿Qué trajo el sirviente?

III

1. ¿Qué cara tenía el forastero?
2. ¿Por qué no cree la gente en los entierros?

3. ¿Qué dijo el hombre de su tío?
4. ¿Quiénes hicieron el entierro?
5. ¿Cómo van a dividir las utilidades?
6. ¿Tenía alguna prueba el hombre?
7. ¿Qué se veía en el plano?
8. ¿Qué garantías exige el forastero? ¿Por qué?
9. ¿Qué respondió el Sr. Vega a la proposición?
10. ¿Llevaba algo don Andrés para defenderse?
11. ¿Qué había en el segundo plano?
12. ¿De qué estaría llena la tinaja?
13. ¿Cómo le miraba el forastero?
14. ¿A dónde fueron ellos primero?
15. ¿Qué necesitaban los hombres?
16. ¿Por qué se quedaba atrás don Andrés?
17. ¿Qué le dijo don Andrés a Ignacio?
18. ¿Qué pensó el sirviente?

IV

1. ¿Cómo era el cuarto?
2. ¿Qué sentía don Andrés Vega?
3. ¿Qué hacían los ojos del desconocido?
4. ¿Se oía algo esa noche?
5. ¿Por qué no ayuda don Andrés al otro?
6. ¿Dónde encontrarían el oro?
7. ¿Qué pensó don Andrés cuando se apagó la vela?
8. ¿Qué dijo el desconocido?
9. ¿Qué pareció haber tocado la piqueta?

V

1. ¿Qué idea tuvo el Sr. Vega?
2. ¿Hallaron oro en la tinaja?
3. ¿Qué comprendieron entonces?
4. ¿Quiénes eran los únicos que poseían el secreto?
5. ¿Qué recordó don Andrés?
6. ¿Qué hicieron los dos hombres?

EL LIBRO TALONARIO

I

LA ACCIÓN comienza en Rota. Rota es la menor de aquellas encantadoras poblaciones hermanas que forman el amplio semicírculo de la bahía de Cádiz. Esta historieta trata de los célebres campos que rodean a Rota y de un humildísimo hortelano, a quien llamaremos *el tío Busca-* 5 *beatas*, aunque no era éste su verdadero nombre, según parece.

Los campos de Rota son tan productivos que surten de frutas y legumbres a Cádiz, y muchas veces a Huelva, y en ocasiones a la misma Sevilla, sobre todo en los 10 ramos de tomates y calabazas, cuya excelente calidad excede a toda ponderación; por lo que[1] en Andalucía se da a los roteños el dictado de calabaceros y de toma-teros, que ellos aceptan con noble orgullo.

En la época del suceso que voy a referir, *el tío Busca-* 15 *beatas* tenía ya sesenta años, y llevaba[2] cuarenta de labrar una huerta junto a la playa de *la Costilla*.

Aquel año había criado allí unas estupendas calabazas que principiaban a ponerse por dentro y por fuera de color de naranja, lo cual quería decir que había mediado 20 el mes de junio.[3] Las conocía perfectamente *el tío Busca-* *beatas* por la forma, por su grado de madurez y hasta de nombre, sobre todo a los cuarenta ejemplares más gordos y lucidos, que ya estaban diciendo *guisadme*, y pasábase los días mirándolos con ternura y exclamando melan- 25 cólicamente:

—¡Pronto tendremos que separarnos!

Al fin, una tarde se resolvió al sacrificio, y señalando a los mejores frutos pronunció la terrible sentencia.

—Mañana cortaré estas cuarenta y las llevaré al mer- 30 cado de Cádiz. ¡Feliz quien se las coma![4]

Y se marchó a su casa con paso lento, y pasó la noche con las angustias del padre que va a casar una hija al día siguiente.

Figúrese, pues, cuánto sería[5] su asombro, cuánta su furia y cuál su desesperación, cuando, al ir a la mañana siguiente a la huerta, halló que, durante la noche, le habían robado las cuarenta calabazas . . . Por fin llegó al más sublime paroxismo trágico, repitiendo frenéticamente aquellas terribles palabras de Shylock:

—¡Oh! ¡Si te encuentro! ¡Si te encuentro!

Púsose luego *el tío Buscabeatas* a recapacitar fríamente y comprendió que sus amadas calabazas no podían estar en Rota, donde sería imposible ponerlas a la venta sin riesgo de que él las reconociese.

—¡Como si lo viera,[6] están en Cádiz!—dedujo de sus cavilaciones.— El infame, pícaro, ladrón, debió de robármelas anoche a las nueve o a las diez y se escaparía con ellas a las doce en el barco de la carga . . . ¡Yo saldré para Cádiz hoy por la mañana en el barco de la hora, y maravilla será que[7] no atrape al ratero y recupere a las hijas de mi trabajo!

Así diciendo, permaneció todavía cosa de[8] veinte minutos en el lugar de la catástrofe, como acariciando las mutiladas calabaceras, o contando las calabazas que faltaban.

Ya estaba dispuesto para hacerse a la vela el barco de la hora que sale todas las mañanas para Cádiz a las nueve en punto conduciendo pasajeros. Se llama barco de la hora porque en este espacio de tiempo, y hasta en cuarenta minutos algunos días, cruza las tres leguas que median entre la antigua villa de Rota y la antigua ciudad de Hércules.

Eran, pues, las diez y media de la mañana cuando aquel día se paraba *el tío Buscabeatas* delante de un puesto de verduras del mercado de Cádiz, y le decía a un aburrido polizonte que iba con él:

—¡Éstas son mis calabazas! ¡Prenda Vd. a ese hombre! Y señalaba al revendedor.

—¡Prenderme a mí!—contestó el revendedor, lleno de 5 sorpresa.— Estas calabazas son mías; yo las he comprado . . .

—Eso podrá Vd. contárselo al Alcalde—repuso *el tío Buscabeatas.*

—¡Que no!⁹

—¡Que sí!¹⁰ 10

—¡Tío ladrón!

—¡Tío tunante!

—¡Hablen Vds. con más educación, so indecentes!— dijo el polizonte, dando un puñetazo en el pecho a cada 15 interlocutor.

En esto ya había acudido alguna gente, no tardando en presentarse también allí el juez de abastos.

II

Resignó la jurisdicción el polizonte en Su Señoría, y enterada esta digna autoridad¹¹ de todo lo que pasaba, 20 preguntó al revendedor con majestuoso acento:

—¿A quién le ha comprado Vd. esas calabazas?

—Al tío Fulano, vecino de Rota . . . —respondió el interrogado.

—¡Ése había de ser!¹²—gritó *el tío Buscabeatas.*— 25 ¡Cuando su huerta, que es muy mala, le produce poco, se mete a robar en la del vecino!

—Pero, admitida la hipótesis de que a Vd. le han robado anoche cuarenta calabazas—siguió interrogando el juez, volviéndose al viejo hortelano,—¿quién le asegura 30 a Vd. que éstas, y no otras, son las suyas?

—¡Toma!¹³—replicó *el tío Buscabeatas.* —¡Porque las conozco como Vd. conocerá a sus hijas, si las tiene! ¿No

ve Vd. que las he criado? Mire Vd.; ésta se llama rebolonda; ésta, cachigordeta; ésta, barrigona; ésta, coloradilla; ésta, Manuela . . . , porque se parecía mucho a
mi hija la menor . . .

Y el pobre viejo se echó a llorar amarguísimamente.   5

Todo eso está muy bien . . . —repuso el Juez de
abastos;—pero la ley no se contenta con que Vd. reconozca
sus calabazas. Es menester que Vd. las identifique con
pruebas fehacientes . . .

—¡Pues verá Vd. qué pronto le pruebo yo a todo el 10
mundo, sin moverme de aquí, que esas calabazas se han
criado en mi huerta!—dijo *el tío Buscabeatas*.

Y soltando en el suelo un lío que llevaba en la mano,
se puso a desatar tranquilamente las anudadas puntas
del pañuelo que lo envolvía.   15

La admiración de los circunstantes subió de punto.

—¿Qué va a sacar de ahí?—se preguntaban todos.[14]

Al mismo tiempo llegó un nuevo curioso a ver qué
ocurría en aquel grupo, y habiéndole divisado el revendedor, exclamó: 20

—¡Me alegro de que llegue Vd., tío Fulano! Este
hombre dice que las calabazas que me vendió usted anoche
son robadas . . .

El recién llegado se puso más amarillo que la cera, y
trató de irse; pero los circunstantes se lo impidieron 25
materialmente.

En cuanto al *tío Buscabeatas*, ya se había encarado
con el presunto ladrón, diciéndole:

—¡Ahora verá Vd. lo que es bueno![15]

El tío Fulano recobró su sangre fría, y expuso: 30

—Vd. es quien ha de ver lo que habla; porque si no
prueba, y no podrá probar, su denuncia, lo llevaré a la
cárcel por calumniador.

—¡Ahora verá Vd.!—repitió *el tío Buscabeatas* acabando de[16] desatar el pañuelo y tirando de él.   35

Y entonces se desparramaron por el suelo una multitud

de trozos de tallo de calabacera, todavía verdes, mientras
que el viejo hortelano dirigía el siguiente discurso al juez
y a los curiosos:

—Caballeros: ¿No han pagado Vds. nunca contribución? Y ¿no han visto aquel libro verde que tiene el   5
recaudador, de donde va[17] cortando recibos, dejando
allí pegado un tocón para que luego pueda comprobarse
si tal o cual recibo es falso o no lo[18] es?

—Lo que Vd. dice se llama el libro talonario—observó
el juez.   10

—Pues eso es lo que traigo aquí; el libro talonario de
mi huerta, o sea los cabos a que estaban unidas estas
calabazas antes de que me las robasen. Miren Vds. Este
cabo era de esta calabaza . . . Nadie puede dudarlo . . .
Este otro . . . , ya lo están Vds. viendo . . . , era de   15
esta otra. Este más ancho . . . debe de ser de aquélla
. . . ¡Justamente! Y éste es de ésta . . . Ese es de ésa . . .
Ésta es de aquél . . .

Y en tanto que así decía, iba adaptando un cabo a la
excavación que había quedado en cada calabaza al ser   20

arrancada, y los espectadores veían con asombro que, efectivamente, la base irregular de los cabos convenía del modo más exacto con la figura blanquecina que presentaban las que pudiéramos llamar cicatrices de las calabazas.

Pusiéronse, pues, en cuclillas los circunstantes, inclusos los polizontes y el mismo juez, y comenzaron a ayudaile al *tío Buscabeatas* en aquella singular comprobación, diciendo todos a un mismo tiempo:

—¡Nada! ¡Nada![19] ¡Es indudable! ¡Miren Vds.! Éste es de aquí . . . Ése es de ahí . . . Aquélla es de éste . . . Ésta es de aquél . . .

Excusado es decir que el tío Fulano se vió obligado desde luego a devolver al revendedor los quince duros que de él había percibido; que el revendedor se los entregó en el acto al *tío Buscabeatas*; y que éste se marchó a Rota sumamente contento, bien que fuese diciendo por el camino:

—¡Qué hermosas estaban en el mercado! ¡He debido traerme[20] a Manuela, para comérmela esta noche y guardar las pepitas!

Adapted from Pedro Antonio de Alarcón: *El libro talonario*

NOTES

[1] poi lo que for this reason
[2] llevaba had spent
[3] había . . . junio it was the middle of June
[4] Feliz quien Happy is he who
[5] cuánto how great
[6] Como . . . viera It is evident; of course
[7] que if
[8] cosa de about
[9] Que no I won't.
[10] que sí You will.
[11] enterada . . . autoridad when this worthy authority had been informed

[12] ¡Ése había de ser! He must be the one!
[13] ¡Toma! Why!
[14] se preguntaban todos they all wondered
[15] lo que es bueno something good
[16] acabando de finishing
[17] va keeps on (14)
[18] lo *Do not translate; it refers to* falso.
[19] ¡Nada! ¡Nada! No, no!
[20] He debido traerme I ought to have brought along

ACTIVE VOCABULARY

el **acento** tone, accent
alegrarse de to be glad (of)
anoche last night
bien que although
célebre famous
criar to raise
devolver (ue) to return
(something)
efectivamente in fact
gordo, -a fat, stout

la **huerta** garden
impedir (i) to prevent
infame infamous, base
pararse to stop
permanecer to stay, remain
la **playa** beach
referir (ie) to tell, relate
el **riesgo** risk
tardar en to be long in

CUESTIONARIO

I

1. ¿Dónde está Rota?
2. ¿Qué ocupación tenía *el tío Buscabeatas*?
3. ¿Qué producen los campos de Rota?
4. ¿Cómo son sus calabazas?
5. ¿Qué edad tenía *el tío Buscabeatas*?
6. ¿Cuánto tiempo llevaba en Rota?
7. ¿Qué conocía muy bien el hortelano?
8. ¿Cuántas calabazas decide sacrificar?
9. ¿A dónde llevaría él las calabazas?
10. ¿Cómo se marchó a su casa?
11. ¿Qué halló él al día siguiente?
12. ¿A qué hora se las robaron?
13. ¿A dónde va *el tío Buscabeatas*?
14. ¿Qué conduce el barco de la hora?
15. ¿Dónde se paró *el tío Buscabeatas*?
16. ¿Qué dijo al polizonte?
17. ¿Qué dijo el revendedor?
18. ¿Quién se presentó más tarde?

II

1. ¿Qué le preguntó el juez al revendedor?
2. ¿Cuándo se mete a robar el tío Fulano?

3. ¿Cómo conoce *el tío Buscabeatas* sus calabazas?
4. ¿Qué va a probar *el tío Buscabeatas*?
5. ¿Qué llevaba en la mano?
6. ¿Quién llegó a ver lo que ocurría?
7. ¿Cómo se puso el recién llegado?
8. ¿A dónde quiere llevar el tío Fulano *al tío Buscabeatas*?
9. ¿Qué había dentro del pañuelo?
10. ¿Cómo se llama el libro que lleva el recaudador?
11. ¿Qué hace con los cabos?
12. ¿Quiénes ayudan *al tío Buscabeatas*?
13. ¿Qué se vió obligado a hacer el tío Fulano?
14. ¿Qué hizo el revendedor?
15. ¿Cómo se marchó *el tío Buscabeatas*?
16. ¿Qué decía por el camino?

EL TEMPORAL

I

Amanecía ya cuando por la boca del río, en dirección
al lago, la embarcación María Concepción soltó las velas.
Iba hacia el norte desde la madrugada.

Junto al timón, Chinco tomaba el desayuno: plátanos,
queso salado, un líquido negro que hacía las veces de[1] 5
café . . . Cerca del patrón, su hijo, Chinco Segundo,
soplaba el fuego y daba vueltas a[2] los plátanos, por cuyas
cáscaras quemadas fluía la miel. A proa, un coriano, el
único marinero de la María Concepción, dormía a pierna
suelta. 10

Cargada de maderas, la embarcación navegaba desde
el litoral del sur, lago arriba.[3] La banda casi se hundía
en el agua; y bajo la brisa fresca y sostenida, gemían las
jarcias y la frágil arboladura que soportaba una de esas
velas obscuras, características de la navegación interior. 15

Una agua verde, de cristal turbio, ondulaba, mansa,
hasta el horizonte, donde por entre dos nubes rotas caían[4]
los rayos del sol. En aquel sitio el agua parecía hervir.
Sobre la embarcación, nubes grises, alargadas. Y muy
lejanas, muy escondidas, unas nubecillas color de cobre, 20
que parecían empujadas sobre la quietud del lago.

El marinero despertó restregándose los ojos.

—¡Buen viento llevamos!—comentó bostezando.

Chinco dijo entre dientes:[5]

—¡Quién sabe! 25

II

A las tres de la tarde cayó el viento sur. El lago, cuya
costa más cercana era apenas una línea brumosa, parecía
una plancha de metal; era una agua cobriza, sin una

ondulación. La vela colgaba, muerta, a lo largo del mástil. Así estuvieron[6] una hora o más, inmóviles, bajo un sol sofocante, en mitad del lago.

El coriano seguía durmiendo. Pesaba sobre los nervios una atmósfera de electricidad.

—¡Hombre! ¡Arriba! gritó el patrón. Anda, criatura, dale con el talón a ése,[7] a ver si despierta.

Y como el coriano no se levantase, le gritó el chico:

—¡Tirso! ¡Tirso! ¡Levántate, que[8] te llaman!

Y el niño lo sacudió violentamente.

Abrió los ojos para preguntar:

—¿Qué es? ¿Qué le pasa, patrón?

—¡A mí, nada! . . . Prepárate para ir tirando lo que llevamos a bordo, que[8] viene el temporal.

En efecto, comenzaba a correr por la quieta superficie del agua una brisa fría. El ojo experto del marino ya sabía qué se podía esperar.

—¡Vamos, hombre, levántate, que[8] viene el nordeste!

Pero el coriano tenía pocas ganas de molestarse.[9] Y sólo cuando la brisa empezó a amenazar, se levantó y comenzó a trabajar con pereza.

—¡No pareces coriano! ¡Caramba que te pesan las patas![10] . . .

El otro era un indio de mal carácter. Y contestó malhumorado:

—A ustedes los de Maracaibo[11] les gusta mucho mandar, y no que los manden.[12] Nosotros los corianos somos mejores que ustedes y servimos mejor.

El patrón se cambió la mascada de tabaco, y dijo:

—Si mandamos, por algo será . . .

—Yo los conozco a ustedes, desde que estuve en el ejército de Coro . . . Para desertores, para eso sirven ustedes[13]—exclamó el indio con desprecio.

—Tú dices . . . Y mirando cómo se encrespaban las olas bajo la brisa fuerte, se interrumpió: —Pero esto no está para[14] conversación . . . Ya viene . . .

—¿Dónde estamos?

—Más arriba de[15] Tomoporo.

Una ráfaga cortó el diálogo; y la vela, rasgada de arriba abajo, se sacudió sobre el mástil, como una ala rota . . .

—¡El temporal! ¡María Santísima!   5

Sobre un laberinto de olas coléricas, el viento sacudía la vela, rechazando a los dos hombres y al niño que trataban de recogerla.

—Vamos, ¡más brío!—gritaba el patrón. —¿No te da vergüenza ver que esta criatura es más útil que tú?   10

El otro le respondió con una injuria horrible.

Restalló un chicote en el aire y el coriano, con el rostro herido, cayó junto al timón . . . Dió un aullido, y los dos hombres, abrazados, rodaron por la cubierta.

El temporal, en toda su fuerza, arrebató de nuevo la   15
vela; hubo un crujido de madera y el mástil con vela y todo se fué al agua. La embarcación empezó a saltar de un lado para otro, mientras los dos hombres luchaban enfurecidos y el niño, lleno de terror, se refugiaba en la proa.   20

El coriano era fuerte, pero Chinco, más ágil y más diestro, logró quedar encima:

—¡No me mate!—gritó el coriano, aterrado.

Y lo iba a matar, cuando el niño le agarró el brazo:

—¡No, papá, no! 5

Chinco le dió un empellón a su hijo; perdió éste el equilibrio y cayó al agua. No pudo ni gritar. Cayó y desapareció en un torbellino de espumas furiosas.

El patrón se quedó aterrado, mientras el otro se levantaba lívido de horror y de emoción . . . El padre 10 corrió a la banda gritando:

—¡Chinquito, hijito! ¡Virgen Santa, sálvamelo!

Tirso Gutiérrez, el coriano, se quitó la blusa, amarróse una cuerda a la cintura y se arrojó al agua. Buceó en todas direcciones. De vez en cuando sacaba la cabeza 15 fuera del agua.

—¿No lo hallas?

—¡No!—respondía Tirso volviendo a zambullirse.

El temporal había pasado; y cuando brilló en el agua el último resplandor del poniente, Tirso, agarrándose a 20 la mano del patrón, subió a bordo, exhausto, casi muerto de frío.

—Ahora voy yo—dijo el patrón, y, amarrándose la cuerda, se lanzó al agua ya obscura . . .

III

Ya era avanzada la noche cuando casi desmayado salió 25 Chinco del agua.

Insensible al frío, al cansancio, como un harapo mojado, miraba la superficie del lago con una tenacidad bestial y triste.

—¡Se ahogó mi niño!—gimió sordamente.[16] 30

El coriano rezaba en la sombra.

—¡Es por culpa mía!—dijo al fin, conmovido.— ¡Es por culpa mía!

—No, soy yo el culpable . . . Ustedes los corianos son mejores que nosotros . . .

—No diga eso, patrón—arguyó el indio.

Ahora bajo el dolor,[17] los dos hombres rivalizaban en hidalguía.

Y el de Maracaibo, secándose las lágrimas con el revés de la mano, respondió convencido:

—¿Por qué no voy a decirlo?[18] Son mejores los corianos . . .

Adapted from José Rafael Pocaterra: *El chubasco*

NOTES

[1] **hacía las veces de** took the place of
[2] **daba vueltas a** turned
[3] **lago arriba** up the lake
[4] **caían** descended
[5] **dijo entre dientes** murmured
[6] **estuvieron** they remained
[7] **dale . . . ése** kick that fellow
[8] **que** because
[9] **tenía . . . molestarse** did not feel like taking the trouble
[10] **¡Caramba . . . patas!** Gee, but you are slow on your feet!
[11] **A ustedes los de Maracaibo** You people from Maracaibo
[12] **les gusta . . . manden** like to boss, but not to be bossed
[13] **para . . . ustedes** that's what you are good for
[14] **no está para** this is no time for
[15] **más arriba de** beyond
[16] **sordamente** in a dull voice
[17] **bajo el dolor** under the weight of grief
[18] **¿Por qué . . . decirlo?** Why shouldn't I say so?

ACTIVE VOCABULARY

ahogarse to drown, choke
el **cansancio** weariness
cercano, -a nearby
colgar (ue) to hang
la **cuerda** rope
despertarse (ie) to wake up
de vez en cuando from time to time
encima on top, above
fresco, -a cool
gemir (i) to groan, moan
el **horizonte** horizon
el **lago** lake
luchar to struggle, fight
¿qué le pasa? what is the matter with you?
el **queso** cheese
rechazar to reject, push back
salvar to save
soportar to support
la **superficie** surface
útil useful

CUESTIONARIO

I

1. ¿En qué dirección iba la embarcación?
2. ¿Dónde estaba Chinco?
3. ¿Qué estaba haciendo Chinco?
4. ¿Quiénes iban con Chinco?
5. ¿Qué iban a comer los hombres?
6. ¿Qué llevaban en la embarcación?
7. ¿Cómo era la brisa?
8. ¿Cómo era el agua del lago?
9. ¿Qué podían ver a lo lejos?
10. ¿Qué dijo el marinero cuando se despertó?
11. ¿Qué le contestó Chinco?

II

1. ¿Qué hacía el marinero?
2. ¿Qué hizo el niño para despertarle?
3. ¿Había viento ahora?
4. ¿Cómo trabajaba el marinero?
5. ¿Qué clase de individuo era el marinero?
6. ¿Qué decía el indio de los corianos?
7. ¿Qué cortó el diálogo?
8. ¿Qué trataban de hacer los hombres y el niño?
9. ¿Qué iba a hacer el padre con el coriano?
10. ¿Qué hizo el padre durante la lucha?
11. ¿Qué gritó él entonces?
12. ¿Quién se arrojó al agua?
13. ¿Cómo volvió el coriano?
14. ¿Qué miraba Chinco?
15. ¿Qué hizo el patrón después?

MÁS VALE MAÑA QUE FUERZA

I

Está lleno el zaguán del parador cuando aparece por la puerta un nuevo personaje. Ya ha anochecido, y a la luz de los candiles, personas y cosas toman un aspecto fantasmagórico. El recién llegado es un hombre gordo, de rostro bonachón y rojizo, vestido a la rústica,[1] con aire de labrador rico. Trae muchos paquetes, mira con timidez[2] a todas partes, y después de arreglar a su alrededor los bultos de su equipaje, se sienta en un rincón, cruza beatífico las manos sobre el vientre y empieza a dormitar.

Todo ladrón legítimo conoce instintivamente la presencia de su víctima. Un buen ladrón, de los que[3] saben su oficio, posee ante todo excelente nariz. Por supuesto, la nariz y el sentido del olfato tienen una importancia inmensa en la vida de cualquier persona. A los santos, por ejemplo, se les[4] conoce por el olor de santidad y a los demonios por el olor de azufre.

La nariz de Luis Candelas es una hermosa nariz. No grande, pero tampoco reducida; nariz, por la potencia de su olfato, digna de un gran policía. Y por la finura de sus percepciones, adecuada a una psicología de ladrón. Candelas siente el efluvio de su perfume predilecto. El viajero recién llegado puede constituir un buen negocio, y es preciso aprovecharlo.

La llegada de la diligencia produce un momentáneo revuelo entre las gentes que esperan y las que se apean del coche. Acude un mozo con un farol en la mano. El mayoral se dispone a cambiar el tiro de caballerías, y el boletero desciende para vender sus billetes a los nuevos viajeros. Candelas, que desde hace unos minutos está hablando[5] amablemente con el hombre gordo, ve cómo éste saca su cartera para meter en ella el papel que le

da el empleado. Ve también que en la cartera lleva una
cantidad de por lo menos veinte o treinta mil reales.
El descubrimiento le hace vibrar de júbilo, y más al

observar la negligencia con que el hombre deposita su
dinero en el bolsillo. Luis paga su asiento, y sin separarse
un solo paso del desconocido, penetra en el carruaje.

La diligencia no lleva muchos viajeros. En el departamento en que están el hombre gordo y Luis no van más

que[6] cuatro personas: una señora con un niño, un anciano envuelto en una manta de viaje, y un militar. La presencia de este militar no le es muy grata a Luis, sobre todo por el uniforme que ostenta de sargento de Guardias Provinciales. 5

Al sentarse y ocupar su puesto en el coche, Luis dirige algunas palabras confianzudas al señor cuya cartera persigue. Sin duda, los otros viajeros creen que los dos hombres son amigos o parientes y que van juntos a sus negocios. Ésta es precisamente la sensación que Candelas 10 quiere dar, contando con la natural distracción de su próxima víctima, quien al contestar a las pocas y bien calculadas palabras de aquél, le ayuda, sin sospecharlo, al desarrollo de sus planes.

Puesto en marcha el vehículo,[7] la noche oscura y algo 15 lluviosa vuelve a tomar posesión de la diligencia y a filtrarse por las ventanillas. Un farolillo tenue, de vidrio blanco y rojo, alumbra el interior de la pequeña cámara. A su luz, el rostro del sargento semeja una máscara cruel. Tiene enormes bigotes negros que le caen a los lados de 20 la boca; el ceño peludo y fuerte; los ojos fieros e inquisitoriales.

La diligencia parte. A los pocos momentos,[8] ya la señora dormita, el niño duerme profundamente, y el anciano, aunque no consigue hacer lo mismo, trata de 25 llamar al sueño cerrando los ojos. El hombre gordo empieza a bostezar con inequívocas muestras de fatiga y deseos de entregarse también al descanso, para lo cual se afloja el cinturón y se desabrocha algunos botones. Sólo el sargento y Luis continúan[9] tan despiertos como 30 si estuvieran en mitad de la calle y en pleno día.

II

Habían caminado tres o cuatro leguas cuando Luis decide comenzar el osado plan que se ha propuesto. En primer lugar, es necesario entablar conversación con el sargento, y nada más a propósito para ello que preguntarle cortésmente qué hora es. El sargento responde; hace el otro una observación; replica el militar; expresa el primero ciertas dudas sobre el Cuerpo de Guardias Provinciales, que aclara solícito el segundo; dice un chiste Candelas; se ríen el sargento y el anciano, que ya no puede dormirse de ningún modo,[10] y, en fin, un animado coloquio surge entre los tres, de los cuales el que conduce la conversación es siempre, naturalmente, el amable y fino Luis Candelas.

—La verdad es—afirma con aplomo—que en esto de la seguridad de los caminos hemos progresado mucho en poco tiempo.

—Nunca han ocurrido tantas cosas como se han dicho.

—No me diga usted, sargento, que yo, en los tres viajes que he realizado en mi vida he visto muchas cosas. En uno nos robaron unos ladrones, en otro no nos robaron porque llevábamos escolta, pero nos tirotearon desde lejos, y en el último . . . , bueno, en el último, casi robaron dentro de la misma diligencia ¡qué atrevimiento!, a mi tío—; al decir esto dirige Luis la mirada a su compañero de viaje, que ronca como canónigo en el coro.

—¡Ah! ¿El señor es su tío?—pregunta el viejo de la manta.

—Sí, señor. Es mi tío. Yo le acompaño siempre para que no vaya solo, y además, para vigilar por él. Porque él es el hombre más despreocupado del mundo, y como suele llevar bastante dinero encima[11] . . .

El sargento desvía por esta vez el diálogo de la recta trayectoria que quiere darle Luis.

—Pues eso de los asaltos a las diligencias es cierto, pero no tanto como se ha dicho. Excepto en Andalucía, donde aun no se han organizado, como en Castilla y Extremadura, las Guardias Provinciales. Aquí, en Castilla, la gente es mejor que ahí abajo, y, además, desde

que estamos nosotros los Provinciales, no hay quien se
atreva a robar por esos caminos.

El sargento gira los ojos con terribles miradas. Frunce
el entrecejo y se tira del bigote con petulante ademán.

—Eso es cierto—ratifica Candelas calurosamente.— 5
La obra que ustedes realizan en el campo, y aun en las
ciudades, es soberbia, habilísima y digna de recompensas
que, desgraciadamente, no les concede el Gobierno en la
medida que sería justo.

Una mirada de orgullo y de infantil alegría demuestra 10
a Candelas que su flecha ha dado en el blanco.

—Se lo he oído decir a todo el mundo.[12] Los Provinciales son los que más trabajan y los que menos ganan.
Los que más se juegan la vida y los que menos ascien-
den . . . 15

—Muy cierto, joven. Muy cierto—interviene el anciano
con gesto adulador para el militar, que trata de enderezar
sus rebeldes bigotes.

—No diré tanto como eso, pero . . .—comenta el
guardia. 20

—¿Cómo que no?[13]—replica Luis Candelas.— ¿Cómo
que no, señor mío? ¿Acaso un hombre como usted, cuyos
galones de sargento expresan bien claramente lo mucho
que vale,[14] no ostentaría Vd. a estas horas, si hubiese
pertenecido a otro cuerpo del ejército, el grado de 25
capitán o el de comandante o quizás de coronel?

La cosa resulta un poco fuerte, no para el buen sargento, cuya vanidad pueril es capaz de creer lo que oye
y mucho más, sino para el viejo, a quien las alabanzas
del caballero le parecen una burla de mal gusto, dirigida 30
a quien viste un uniforme de las milicias del Rey.

A Luis no se le escapa la mala impresión que le han
causado al señor anciano sus adulaciones. Le lanza, pues,
una amable sonrisa, y resuelto a dar cuanto antes el
golpe que viene[15] preparando, murmura, después de 35
larga pausa:

—Claro que de los asaltos y los robos no tienen casi

nunca la culpa las autoridades, ni nadie, sino nosotros
mismos.

—En efecto. Yo de los asaltos a las diligencias y de
cosas así no hablo. Pero en los robos y atracos a particulares, en los casos que conozco, casi siempre han sido las
víctimas las que han tenido la culpa. Unos por[10]
demasiado cobardes, otros por distraídos, otros por
imprudentes . . .

—Eso es verdad. Hay muchos imprudentes que parecen
tener gusto en desafiar el peligro.

A Candelas le palpita el corazón con fuerza. Ha llegado
el minuto exacto de desafiar ese peligro de que habla.
Candelas toma la palabra:

—¿Que si es la verdad?[17] Miren ustedes. A mi tío, al
cual casi le robaron una vez en la diligencia, no hay
quien le haga tomar la menor precaución cuando viaja.
Ahora, menos mal, porque voy siempre con él, no le
dejo a sol ni a sombra, y cuando veo que se duerme, yo
no cierro el ojo. Y cuando la cartera pesa demasiado por
los muchos billetes que lleva, se la quito del bolsillo y la
guardo en el mío, donde está más segura. Somos tratantes
en granos al por mayor, y a veces regresamos a Madrid
trayendo mucho dinero. Pero mi tío no se molesta en
tomar precauciones. Véanle ustedes ahora mismo. Dormido, descuidado, con la chaqueta medio desabrochada
. . . Menos mal que va con nosotros. Pero ¿si en vez de
ser nosotros fuese[18] con alguien que quisiera robarle?
Y seguramente lleva en la cartera veinte o treinta mil
reales. Verán Vds.

Al decir esto, Candelas, sin vacilar, introduce los dedos
en el bolsillo interior de la chaqueta del durmiente y
extrae la cartera, que abre y muestra a los compañeros
de viaje.

—¿Lo ven ustedes? —exclama, contando despacio los
billetes.— Veintiséis mil reales lleva encima. Siempre
tengo que hacer lo mismo: cogerle la cartera y guardár-
mela yo.

Con gesto natural, como quien verifica automáticamente algo que acostumbra realizar sin darle importancia, Luis se guarda la cartera.

—Pero, querido joven—dice el anciano sonriendo—por esta vez no es necesario poner en seguro la cartera de su tío. No creo que los que vamos aquí . . .

—¡Oh, señor!—exclama Candelas fingiendo turbación y llevándose la mano al bolsillo como si quisiese restituir al lugar de que salió la cartera.— Perdonen ustedes . . . Pero la costumbre . . .

—Hace usted bien—interviene el sargento.— Todavía faltan dos pueblos para llegar a Madrid y no sabemos qué gentes pueden subir. Podemos quedarnos dormidos, y, ¡qué diablo!, toda precaución es poca.

III

Desde este momento el coloquio antes dirigido por Candelas queda abandonado a sí mismo, como un navío en el golfo a merced de las olas; poco después queda sumergido en el silencio.

El hombre gordo despierta un segundo para mirar en turbia somnolencia alrededor suyo. Luis, amable, le informa con voz dulce y llena de ternura.

—Todavía falta una hora para llegar a Madrid.

—¡Ah! ¿sí?

—Sí.

La simpática víctima reanuda su interrumpido sueño. Por su parte, el de la manta inclina la cabeza, cierra los ojos. El sargento de Provinciales comienza a dormir a la manera de las liebres: con los ojos abiertos.

A las diez y media de la noche, y ya a poco menos de una legua de Madrid, el coche para[19] por última vez en el famoso lugar de Fuencarral. La lámpara de aceite de la cantina brilla traspasando las tinieblas con una aspa de luz. Algunas personas se bajan de la diligencia para tomar una taza de café negro o una copa de aguardiente.

Luis también baja del coche para beber—después de invitar al sargento, que rehusa el convite—, dejando en la banqueta del carruaje, y con objeto de no inspirar sospechas, su capote y su maletín.

Éste es exactamente el minuto en que el sargento y el anciano de la manta, que abrió los párpados movido por cierta inquietud semejante al presentimiento, contemplan por última vez en su vida la figura ágil, los ojos escrutadores, y la sonrisilla irónica de Luis Candelas, el famoso bandido de Madrid.

Adapted from Antonio Espina: *Luis Candelas, el bandido de Madrid*

NOTES

¹ **a la rústica** like a country dweller
² **con timidez** timidly
³ **de los que** one of those who
⁴ **a los santos . . . les** (26a)
⁵ **desde . . . hablando** since a few minutes ago has been talking
⁶ **no . . . más que** only
⁷ **Puesto . . . vehículo** When the vehicle is under way
⁸ **A los pocos momentos** A few moments later
⁹ **continúan** remain

¹⁰ **de ningún modo** at all
¹¹ **encima** with him
¹² **Se lo . . . mundo** I have heard everyone say so.
¹³ **¿Cómo que no?** Certainly.
¹⁴ **lo mucho que vale** how much he is worth
¹⁵ **viene** has been (14)
¹⁶ **por** because they are
¹⁷ **¿Que si es la verdad?** Do you doubt that it is true?
¹⁸ **fuese** *from* ir
¹⁹ **para** *from* parar

ACTIVE VOCABULARY

el **ademán** gesture
a **propósito** suitable
el **asiento** seat
blanco, -a white
cuanto antes as soon as possible
el **dedo** finger
el **desarrollo** development
despacio slowly
el **ejemplo** example
en fin in short

en vez de instead of
el **grano** grain
el **labrador** farmer
lo mucho que how much
la **nariz** nose
el **pariente** relative
perseguir (i) to pursue
regresar to return
sospechar to suspect
surgir to rise

CUESTIONARIO

I

1. ¿Quién es el recién llegado?
2. ¿Qué trae él?
3. ¿Qué hace él después de arreglar los bultos?
4. ¿Qué posee el buen ladrón?
5. ¿Cómo es la nariz de Luis Candelas?
6. ¿Para qué desciende el boletero?
7. ¿Qué observa Luis Candelas?
8. ¿Qué cantidad lleva en la cartera?
9. ¿Quiénes van en la diligencia?
10. ¿Quién es el militar?
11. ¿Qué creen los viajeros?
12. ¿Por qué empieza a bostezar el hombre gordo?

II

1. ¿Qué le pregunta Luis al sargento?
2. ¿Dice algo Candelas acerca de la seguridad de los caminos?
3. ¿Qué ocurrió en uno de los viajes de Candelas?
4. ¿Por qué acompaña Luis a su «tío»?
5. ¿Qué dice Candelas de la obra de los Provinciales?
6. ¿Qué es capaz de creer el sargento?
7. ¿Qué piensa el viejo de las alabanzas?
8. ¿Quiénes no tienen la culpa de los asaltos?
9. ¿Por qué le palpita el corazón a Candelas?
10. ¿Qué hace Candelas cuando viaja con su «tío»?
11. ¿Qué había en la cartera?
12. ¿Dice algo el anciano entonces?

III

1. ¿Qué le dice Candelas al hombre gordo?
2. ¿Qué hace ahora el sargento?
3. ¿A qué hora para el coche en Fuencarral?
4. ¿Para qué bajan algunas personas?
5. ¿Qué dejó Candelas en el coche?
6. ¿Quién era Luis Candelas?

CANCIÓN DEL PIRATA

Con diez cañones por banda,
Viento en popa a toda vela,
No corta el mar, sino vuela,
Un velero bergantín,
 Bajel pirata que llaman,   5
Por su bravura, el *Temido,*
En todo mar conocido[1]
Del uno al otro confín.
 La luna en el mar rïela,
En la lona gime el viento,   10
Y alza en blando movimiento
Olas de plata y azul;
 Y ve el capitán pirata,
Cantando alegre en la popa,
Asia a un lado, al otro Europa,   15
Y allá a su frente[2] Stambul.
  «Navega,[3] velero mío,
    Sin temor;
Que ni enemigo navío,
Ni tormenta, ni bonanza   20
Tu rumbo a torcer alcanza,[4]
Ni a sujetar tu valor.
   «Veinte presas
   Hemos hecho
   A despecho   25
   Del inglés,
   Y han rendido
   Sus pendones
   Cien naciones[5]
   A mis pies.»   30
 Que[6] es mi barco mi tesoro,
Que es mi Dios la libertad,
Mi ley la fuerza y el viento,
Mi única patria la mar.

«Allá muevan[7] feroz guerra
Ciegos reyes
Por un palmo más de tierra:
Que yo tengo aquí por mío[8]
Cuanto abarca el mar bravío,   5
A quien nadie impuso leyes.
«Y no hay playa,
Sea cualquiera,[9]
Ni bandera
De esplendor,   10
Que no sienta
Mi derecho,
Y dé pecho
A mi valor.»
Que es mi barco mi tesoro,   15
Que es mi Dios la libertad,
Mi ley la fuerza y el viento,
Mi única patria la mar.

«A la voz de ‹¡barco viene!›
Es de ver[10]   20
Cómo vira y se previene
A todo trapo a escapar;
Que[6] yo soy el rey del mar,
Y mi furia es de temer.[11]
«En las presas   25
Yo divido
Lo cogido
Por igual:
Sólo quiero
Por riqueza   30
La belleza
Sin rival.»
Que es mi barco mi tesoro,
Que es mi Dios la libertad,
Mi ley la fuerza y el viento,   35
Mi única patria la mar.

«¡Sentenciado estoy a muerte!
    Yo me río:
No me abandone la suerte,[12]
Y al mismo que me condena
Colgaré de alguna antena,   5
Quizá en su propio navío.
    «Y si caigo,
    ¿Qué es la vida?
    Por perdida
    Ya la di,[13]   10
    Cuando el yugo
    Del esclavo,
    Como un bravo,
    Sacudí.»
Que es mi barco mi tesoro,   15
Que es mi Dios la libertad,
Mi ley la fuerza y el viento,
Mi única patria la mar.

    «Son mi música mejor
    Aquilones;   20
El estrépito y temblor
De los cables sacudidos,
Del negro mar los bramidos
Y el rugir de mis cañones.
    «Y del trueno   25
    Al son violento
    Y del viento
    Al rebramar,[14]
    Yo me duermo
    Sosegado,   30
    Arrullado,
    Por el mar.»
Que es mi barco mi tesoro,
Que es mi Dios la libertad,
Mi ley la fuerza y el viento,   35
Mi única patria la mar.

                José de Espronceda

NOTES

[1] *Normal order:* conocido en todo mar

[2] **a su frente** before him

[3] **Navega** *familiar command*

[4] *Normal order:* alcanza a torcer tu rumbo

[5] **naciones** *subject of* **han rendido**

[6] **Que** Because, for

[7] **muevan** *optative:* let blind kings wage. . . .

[8] **tengo por mío** I consider mine

[9] **Sea cualquiera** Be it anyone at all

[10] **Es de ver** You should see

[11] **es de temer** is to be feared

[12] **No . . . suerte** If luck does not forsake me; *omit the following* y *in translation.*

[13] *Normal order:* ya la di por perdida I considered it already lost.

[14] *Normal order:* al son violento del trueno y al rebramar del viento

EL CUADRO DE MURILLO

I

Vivía en la calle de la Canoa don Mateo Repelos,
dueño de una almoneda, conocidísimo no solamente por
el cuidado con que compraba, sino también por su tino
en la elección y venta de las mil y una baratijas de su
comercio.   5

La especialidad de don Mateo eran las pinturas;
conocía las nomenclaturas de las telas famosas existentes
en Europa y en los principales conventos de la capital[1]
así como los caracteres esenciales de las escuelas flamenca,
italiana y sevillana. Pero sus conocimientos prácticos en   10
materia de pinturas los[2] debía el comerciante a un suceso
que le ocurrió en los primeros seis meses del oficio.

Se hallaba[3] don Mateo cierto día pensando en sus
negocios cuando vió entrar en su tienda a una señora
anciana de aspecto reservado, acompañada de un mozo   15
que traía un lienzo, cubierto con un trapo no muy
limpio.

—Buenos días.

—Buenos días, señora. ¿En qué puedo servirla?[4]

—Venía a venderle esta imagen de Nuestra Señora del   20
Carmen.

Don Mateo examinó la obra: ni por su dibujo, ni por
su colorido le pareció sobresaliente.

—Con cincuenta pesos me contentaría—añadió la
señora con humildad.   25

—Señora, lo siento, pero a decir verdad, no estoy en
condiciones para comprar.

—Pues, quisiera dejar el cuadro en su tienda; si me
halla comprador, le daré la comisión correspondiente
por depósito y venta.   30

—Muy bien. Déme sus señas para comunicarme con
Vd. en caso de venta.

—Lo malo es que estoy en vísperas de mudarme. Creo que sería mejor que yo pasara por aquí dentro de unos días, los que convengamos.

—Como Vd. guste, señora.

II

A los quince días[5] volvió, en efecto, la dueña del cuadro, y, después de oír que ni un solo comprador se había interesado por él, se marchó desconsolada, diciendo que aun abrigaba confianza en la venta de la imagen.

Don Mateo sacó el cuadro del rincón en que lo había puesto y le quitó con un trapo el polvo y las telarañas. No teniendo nada que hacer y por matar el tiempo, lo frotó con una muñequilla mojada en aceite de linaza, y lo puso después más cercano a la puerta de la calle. Sin duda, por aquello de que[6] trabajo y diligencia siempre logran cosecha, media hora después de tal operación, un individuo de cabello cano y traje decente que pasaba por la calle, al ver el lienzo, detúvose involuntariamente, lo contempló por espacio de uno o dos minutos y siguió su camino con visibles señales de preocupación.

Este incidente se repitió otros dos días, y al tercero, el caballero se caló los anteojos y se puso a examinar el lienzo con todo detenimiento.

—¿Por qué no entra Vd., caballero?—le dijo el dueño.

Abstraído en la contemplación del lienzo, únicamente al repetir don Mateo la pregunta, se tocó aquél el sombrero y dió dos o tres pasos hacia adentro sin quitar la vista del cuadro.

—Indudablemente—dijo—tiene Vd. aquí una joya artística. ¿Me permite examinar el cuadro?

—Sí, señor—contestó don Mateo.

El caballero bajó el lienzo de la mesa en que estaba recostado, frotó con su pañuelo las dos esquinas inferiores en busca de firma y fecha, y examinó por último el cuadro por detrás, diciendo en tono de profunda convicción:

—Acaso yo me equivoque; pero este cuadro debe de
pertenecer a la escuela sevillana y debe de ser obra de
alguno de sus más insignes maestros.

—¿Por qué no me hace una oferta?—le preguntó el
comerciante, todavía sin dar gran valor a su entusiasmo. 5

—¡Ah, qué más quisiera yo! . . . pero sin dinero no
se puede comprar nada, mucho menos un cuadro como
éste.

—Por cien pesos venderían esta imagen.

Al oír esto, abrió tamaños ojos[7] y meneó la cabeza de 10
un lado para otro como si no diera crédito a lo que oía.
Contempló de nuevo un breve rato la pintura, saludó al
comerciante y prosiguió su camino.

III

El lienzo continuaba colocado cerca de la puerta y
llamando la atención de los transeúntes. Algunos de 15
éstos, inteligentes[8] sin duda, se detenían a mirarlo desde
la calle y hablaban entre sí. Dos jóvenes, al parecer
artistas, estuvieron a punto de darse de puñadas una
mañana, acalorados con la disputa de si el lienzo era
original o copia. 20

—Es del todo[9] absurdo—decía uno de ellos.— En
México[10] no puede haber ejemplar alguno, y mucho
menos en una almoneda de tres al cuarto.

—Está Vd. haciendo gala de su ignorancia—contestó
el otro.— Vea Vd. el vigor y despejo del trazo, la firmeza 25
y suavidad de luces y sombras . . . Confiese Vd. que de
estas cosas no entiende . . .

Como se trataban uno a otro de ignorantes en alta
voz y con interjecciones algo vivas, don Mateo salió a la
calle: 30

—Caballeros, les suplico que moderen su exaltación
artística en mi puerta. Si quieren dar escándalo, vayan a
otra parte.

A todo esto, don Mateo iba concibiendo ventajosa idea

del cuadro y, hasta haciendo un sacrificio, hubiera dado por él a su dueña quince o veinte pesos.

Después de repetidas visitas, uno de los admiradores del lienzo entró una tarde en la almoneda, y dijo con gesto solemne y en voz baja, para que no le oyeran dos 5 señoras que a la sazón acababan de comprar unas sillas:

—No és justo que sigamos yo en mi disimulo y usted en sus burlas.

—Perdone Vd., caballero . . .

—Vea usted, señor mío: si Vd., en lugar de burlarse, 10 se pone en lo razonable, acaso haga Vd. un buen negocio. Conozco a un inglés . . .

—Siento haberle ofendido—explicó el dueño de la tienda.

—Ante todo—continuó el caballero—Vd. debe saber 15 mejor que yo que este lienzo es nada menos que del fundador de la escuela sevillana, Bartolomé Esteban Murillo, célebre pintor español del siglo XVII, compañero y amigo de Velázquez.

—¿Le interesa a Vd., señor, el cuadro? 20

—Me interesa, sí, pero no podría comprarlo. Conozco, sin embargo, a un inglés rico que viaja recogiendo de acá y allá cuantas joyas artísticas puede adquirir a bajo precio para llevarlas a Londres. Actualmente tiene puesto el ojo en este lienzo, mediante indicación mía. 25

Don Mateo empezaba a dar muestras de interés. Ahora sólo pensaba en la conveniencia del negocio.

—Aquí donde Vd. me ve—continuó el crítico de arte—, soy inteligente en el ramo. Mi apellido es Martínez. Años atrás di clases[11] de pintura en la Academia 30 de Bellas Artes, donde podrán informar a Vd. sobre mi persona.

—Señor—se apresuró a decir el tendero—, yo no pongo en duda su opinión . . .

—Pues bien, el inglés vendrá mañana conmigo para 35 examinar el cuadro.

IV

Desconfiado por naturaleza, don Mateo pensó que había más de charlatanería que de sustancia en la peroración del señor Martínez. Pero al día siguiente, se presentó el crítico con su inglés. Aunque tenía éste el pelo rubio, descomunal el cuello de la camisa y pendiente de la solapa el lente de rigor, hablaba el español con suma facilidad y corrección, lo cual debía, según dijo, a los muchos años que había vivido en España visitando museos y conventos. Halló que el lienzo era, efectivamente, de Murillo. Después de admirar sus cualidades, añadió:

—Aunque soy bastante rico, no me quedaría con la pintura sino a bajo precio. Fije Vd. el precio último y definitivo. Volveré mañana a examinar de nuevo el lienzo y decidir si me quedo o no con él.

Durante esta primera entrevista, Martínez no habló, sin duda por estar abstraído completamente[12] en la contemplación de la pintura. Por fin, salieron de la tienda.

V

Don Mateo quedó muy impresionado con las palabras del inglés, y ya creía descubrir en el cuadro todas las perfecciones anatómicas y de tono y colorido de que había hablado el extranjero. Volvió a frotarlo con aceite de linaza e instintivamente miraba hacia la calle deseoso de que apareciera por allí la dueña del lienzo. Por la tarde, al pasar frente a la Academia, se le ocurrió al comerciante pedir algunos informes de Martínez. Apenas le hubo nombrado cuando el conserje le dijo que era persona muy perita en cuestiones de arte y que, efectivamente, había sido muchos años catedrático de pintura

en el establecimiento. Por la noche, el comerciante soñó
que el negocio le dejaba media talega de pesos.

Al día siguiente, a las doce, Martínez y su inglés
entraron en la tienda, y, después de examinar de nuevo
la imagen, preguntó el segundo si le había fijado precio. 5

—No se puede vender en menos de quinientos pesos—
dijo don Mateo con aire indiferente y hasta algo brusco.

—Pues, decididamente, lo tomo—contestó el inglés.—
Y como no me agrada perder tiempo, terminemos de una
vez el negocio. 10

Sacó de su bolsillo una cartera, y de ésta una tarjeta
con su nombre: «Sir James William Cook»; y entregando
la tarjeta y una moneda de oro, añadió:

—Aquí tiene Vd. mi nombre y esta onza para que
inmediatamente haga Vd. preparar una caja[13] de madera 15
en que pueda llevar el lienzo sin estropearlo. Lleve Vd.

caja y factura a la casa de los señores Manning y Mac-
Intosh, donde le entregarán en oro el importe del cuadro.
Que esto sea mañana mismo,[14] porque yo debo partir de
un día a otro.

Salieron Martínez y el inglés, y don Mateo tras ellos, 5
en busca de un carpintero conocido a quien pidió que
hiciese la caja.

VI

El lienzo no había sido movido aún de su lugar cuando
entró su dueña, acompañada del mozo:

—¿Aun no se ha vendido mi Madre y Señora del 10
Carmen?

—Ya la ve Vd. ahí, donde la dejó.

—¡Cuánto lo celebro![15] Decididamente Dios protege a
los pobres. ¡Alabada sea su misericordia! Figúrese Vd.,
señor don Mateo, que yo me había resuelto a vender por 15
cincuenta pesos esta alhaja de familia, que de generación
en generación ha llegado hasta mí; pero ahora, mi primo,
el cura de Atlixco, me escribe diciéndome que no vaya a
deshacerme del cuadro porque los padres carmelitas de
Puebla lo conocen y quieren comprármelo en doscientos 20
pesos. ¡Alabado sea Dios! Me llevo mi cuadro, señor don
Mateo, y, como es justo, le pago por el depósito con esta
sortija que bien vale cuatro pesos.

Esta peripecia daba al traste con el negocio del comerciante.   25

—Pero, señora, lo más probable es que[16] esté alucinada
con meras esperanzas. Yo le ofrezco los cincuenta pesos
que Vd. había pedido.

—No, señor don Mateo. Conozco muy bien a mi primo
el cura. Vender este cuadro por menos de doscientos 30
pesos sería tirar el dinero.

Tomó el mozo el cuadro, lo cubrió y cargó con él, y,
ya en la puerta la anciana, ofreció don Mateo sesenta,
setenta, y hasta cien pesos.

La señora no cedió y se marchó con el cuadro. El comerciante se quedó desconcertado. Pero una idea luminosa cruzó por su cerebro. ¿No ofrecía el inglés quinientos pesos por el cuadro? Pues, aun pagando por él doscientos, le quedaba una utilidad considerable. Tomó el sombrero y fué a dar alcance a la vieja, quien ya doblaba la esquina. Después de nuevo regateo, ofreció por fin los doscientos pesos:

—Bueno; es mío por los doscientos. Venga Vd. mañana y le pagaré.

—No, don Mateo, he de recibir el importe en el acto. Nosotras, las señoras, nada entendemos en esto de negocios y muy fácilmente somos engañadas.

Por fin, pagó el comerciante y se quedó con el codiciado cuadro.

VII

Al otro día,[17] al presentarse en la casa Manning y MacIntosh con lienzo, factura y tarjeta, los dependientes se negaron a recibir la caja. Dijo el principal que ni siquiera había oído nombrar a Sir James William Cook. Con el auxilio del conserje de la Academia de Bellas Artes, fué don Mateo a la casa de Martínez. Resultó que éste no era el admirador del cuadro y el lienzo fué calificado de verdadero mamarracho. Pidió informes al cura de Atlixco, y éste contestó que no tenía ningún pariente. A esas horas, el «inglés,» Martínez, la señora y el caballero anciano probablemente ya se[18] habían repartido los doscientos pesos del comerciante.

Adapted from José María Roa Bárcena: *El cuadro de Murillo*

NOTES

[1] **capital** *in this case, Mexico City*

[2] **los** (26a)

[3] **Se hallaba** was

[4] **¿en qué puedo servirla?** What can I do for you?

[5] **A los quince días** Two weeks later

⁶ **por . . . que** because of the saying that

⁷ **abrió tamaños ojos** he opened his eyes so wide

⁸ **inteligentes** connoisseurs

⁹ **del todo** completely

¹⁰ **Mónico** for **Méjico.** *The Mexi cans have retained in geographical names the old Spanish* **x,** *which is now written as* **j.**

¹¹ **di clases** I taught classes

¹² **por . . . completamente** because he was completely absorbed

¹³ **haga Vd. preparar una caja** have a box prepared (11a)

¹⁴ **Que . . . mismo** Let this be no later than tomorrow

¹⁵ **¡Cuánto lo celebro!** How glad I am!

¹⁶ **lo más . . . que** most likely

¹⁷ **Al otro día** The following day

¹⁸ **se** among themselves

ACTIVE VOCABULARY

abrigar to shelter, harbor
actualmente at present
al parecer apparently
el **auxilio** aid, help
el **cabello** hair
el **comerciante** merchant
la **confianza** confidence, trust
el **cuello** neck
de **una vez** at once
doblar to turn, fold

equivocarse to be mistaken
el **extranjero** foreigner
la **fecha** date
insigne illustrious
la **misericordia** mercy, pity
la **moneda** coin
el **precio** price
proteger to protect
quedarse con to keep, take
el **suceso** event, happening

CUESTIONARIO

I

1. ¿Quién era don Mateo Repelos?
2. ¿Cuál era su especialidad?
3. ¿Qué conocía él muy bien?
4. ¿A qué debía él estos conocimientos?
5. ¿Quién entró en su tienda?
6. ¿Cómo contestó el saludo don Mateo?
7. ¿Cuánto quería la señora por la imagen?
8. ¿Por qué no compra él la imagen?
9. ¿Para qué quiere él las señas de la señora?
10. ¿Qué prefiere hacer la señora?

II

1. ¿Cuándo volvió ella?
2. ¿Qué hizo el comerciante con el cuadro?
3. ¿Quién se detuvo a observar el cuadro?
4. ¿Qué le dijo don Mateo al caballero?
5. ¿Qué buscaba el caballero en el cuadro?
6. ¿Qué dijo el caballero acerca del cuadro?

III

1. ¿Qué personas se detuvieron a mirar el cuadro?
2. ¿Qué decía uno de ellos?
3. ¿Qué les suplica el comerciante?
4. ¿Quién entró en la tienda?
5. ¿Quién es el autor del cuadro, según Martínez?
6. ¿Qué hace el inglés en México?
7. ¿Cuál había sido la profesión de Martínez?
8. ¿Para qué vendrán Martínez y el inglés?

IV

1. ¿Cómo era el inglés?
2. ¿Por qué hablaba muy bien el español?
3. ¿Qué le dijo el inglés al comerciante?
4. ¿Para qué volverá al día siguiente?
5. ¿Por qué no dijo nada Martínez?

V

1. ¿Dónde pidió informes el comerciante?
2. ¿Cuánto pidió el comerciante por el cuadro?
3. ¿Qué sacó el inglés de su cartera?
4. ¿Qué debía hacer el comerciante con la caja?
5. ¿A quién fué a buscar don Mateo?

VI

1. ¿Quién entró otra vez en la tienda?
2. ¿Por qué no quería vender ella el cuadro?
3. ¿Cuánto ofreció don Mateo al fin por la imagen?
4. ¿Por qué quería ella recibir el dinero inmediatamente?
5. ¿Qué le dijeron a don Mateo en la casa Manning y Mac-Intosh?

DE CÓMO VENCÍ A UN RIVAL

I

ELLA era una muchacha más bella que el arco iris, y me quería locamente. Eso sí,[1] por mi parte estaba correspondida. ¡Vaya si fué la niña de mis ojos![2] Ha pasado un cuarto de siglo, y el recuerdo de ella despierta todavía un eco en mi apergaminado organismo.

Tenía veinte años. Era una morenita sonrosada como la Magdalena; cutis de raso; ojos negros y misteriosos; una boquita más roja que la guinda; tal era mi amor, mi delicia, la musa de mis tiempos de poeta.[3]

La chica se llamaba . . . se llamaba . . . ¡Vaya una memoria flaca la mía![4] Después de haberla querido tanto, salgo ahora con que[5] ni de su nombre me acuerdo, y lo peor es, como diría Campoamor:

> que no encuentro manera
> por más que la conciencia me remuerde,
> de recordar su nombre, que era . . . que era . . .
> yo lo diré después cuando me acuerde.

Tenía algo de supersticiosa,[6] creía en visiones, y se encomendaba a las benditas ánimas del purgatorio.

Para ella, moral y físicamente,[7] era yo, como novio, el tipo soñado por su fantasía soñadora. ¡Pobrecita! ¡Hasta decía que mis versos eran superiores a los de Zorrilla y Espronceda, que eran por entonces los poetas más de moda!

Sin embargo, mis versos y yo teníamos un rival en Michito, un gato color de azabache, muy pizpireta y remono. Después de perfumarlo con esencias, lo adornaba su preciosa dueña con un collarcito de terciopelo con tres cascabeles de oro, y lo tenía siempre sobre sus rodillas. El gatito era un dije, la verdad sea dicha. Lo confieso, llegó a inspirarme celos,[8] fué mi pesadilla. Su ama lo acariciaba demasiado, y maldita la gracia que me hacía eso de dar un beso al gato y después mirarme a mí. El demonche del animalito[9] parece que conocía el odio que me inspiraba; y más de 5

una vez en que[10] quise apartarlo de las rodillas de ella, me plantó un tremendo arañazo.

Un día le arrimé un soberano puntapié. ¡Nunca debí haberlo hecho! Aquel día se nubló el cielo de mis amores, y en vez de caricias, hubo tormenta deshecha. Llanto, amago de pataleta, y en vez de llamarme ¡bruto! me 10 llamó ¡masón!, palabra que en su boquita de repicapunto era el *summum* de la cólera y del insulto.

II

Para desenojarla tuve que obsequiar bizcochuelos a
Michito, pasarle la mano por el sedoso lomo, y . . .
¡Apolo me perdone el pecado!   escribirle un soneto.
Decididamente, Michito era un rival difícil de ser
expulsado del corazón de mi novia.   5

Pero hay un dios protector de los amores, y van
ustedes a ver cómo ese dios me ayudó a eliminar a mi
rival.

Una noche leía ella en *El Comercio* la sección de
avisos del día.   10

—Dime exclamó de pronto, marcándome un renglón
con el dedo—, ¿qué significa este aviso?

—Veamos, sultana mía.

—«Adelaida Orillasqui. Adivina y profesora.»

—No sé qué decirte . . . palomita de ojos negros;   15
creo que ha de ser una de esas tantas embaucadoras[11]
que, a vista de la autoridad, se ganan la vida a expensas
de la ignorancia y tontería humanas. Esta ha de ser una
bruja.

—¡Una bruja! ¡Ay, hijo![12] . . . Yo quiero conocer a   20
una bruja . . . Llévame a casa de la bruja . . .

Un pensamiento diabólico cruzó rápidamente por mi
cerebro. ¿No podría una bruja ayudarme a destronar al
gato?

—No tengo inconveniente, ángel mío, en llevarte el   25
domingo, no precisamente a casa de esa Adelaida, que ha
de ser muy cara, sino a la de otra mujer del mismo
oficio, quien, por cuatro o cinco duros, te leerá el porvenir
en las rayas de las manos.

Ella, la muy loquilla, brincando con infantil alborozo,   30
echó a mi cuello sus torneados brazos y me dijo: —¡Qué
bueno eres con tu . . . !, y pronunció su nombre, que
¡cosa del diablo![13] hace una hora estoy bregando por
recordarlo.

Antes de la hora del almuerzo, el domingo, mi novia y yo fuimos a la casa de la bruja. No estoy en humor para gastar tinta describiendo minuciosamente el domicilio. El lugar de la acción . . . imagíneselo el lector. La bruja nos mostró todas las habilidades que ejecuta cualquier bruja. Luego nos pusimos a examinar el «laboratorio.» Había sapos y culebras, frascos con aguas de colores; en fin, todos los cachivaches de la profesión. La lechuza, el gato y el perro disecados no podían faltar: son indispensables a toda bruja.

III

Ella, fijándose en el gato, me dijo:

—Mira, mira, ¡qué parecido a Michito!

Era lo que la bruja esperaba. El corazón me palpitaba con violencia y parecía quererse escapar[14] del pecho. De la habilidad con que la bruja alcanzara a dominar la imaginación de la joven, dependía la derrota de mi rival.

—¡¡Cómo, señorita!!—exclamó la bruja asumiendo una admirable actitud de sibila, y dando a su voz una inflexión severa. —¿Usted tiene un gato? Si ama a este caballero, despréndase de ese animal maldito. ¡Ay! por un gato me vino la desgracia de toda mi vida. Oiga Vd. mi historia.

—Yo era joven y este gato que ve Vd. disecado era mi compañero y mi delicia. Casi todo el día lo[15] pasaba sobre mis faldas, y la noche, sobre mi almohada. Por entonces me enamoré locamente de un cadete de artillería, arrogante muchacho. Venía a verme. Al principio estuvo muy moderado, pero poquito a poquito se fué entusiasmando, y me dió un beso un día, lanzando a la vez un grito horrible que nunca olvidaré. Mi gato le había saltado encima[16] clavándole las uñas en la cara. Desprendí al animal y lo arrojé por el balcón. Cuando comencé a lavar la cara a mi pobre amigo, vi que tenía

un ojo reventado. Lo condujeron al hospital, y como
quedó lisiado, lo separaron de la milicia. Cada vez que
nos encontrábamos en la calle, me hartaba de mal-
diciones. El gato murió del golpe, y yo lo hice disecar.
¡El pobrecito me tenía afecto! Si dejó tuerto a mi novio,   5
fué porque estaba celoso. ¿No cree Vd., señorita, que me
quería de veras?

Me acerqué a mi novia, y la vi pálida como un cadáver.
Se apoyó en mi brazo, temblorosa, sobreexcitada; me
miró con infinita ternura, y murmuró dulcemente: 10
—¡Vámonos!

¡Ella me amaba! En su sonrisa acababa de leerlo. Ella
sacrificaría a mi amor el gato, ella cuyo nombre se ha
borrado de la memoria de este mortal pérfido y desagradecido.   15

Aquella noche, cuando fuí a su casa, me sorprendí al
no encontrar al gato sobre sus rodillas.

—¿Qué es de Michito?[17]—le pregunté.

Y ella, con una encantadora, indescriptible, celestial
sonrisa, me contestó: 20

—Lo he regalado.

Y murmuró a mi oído:

—He tenido miedo por tus ojos.

Adapted from Ricardo Palma: *De cómo desbanqué a un rival*

NOTES

[1] **Eso sí** To be sure

[2] **la niña de mis ojos** the apple
of my eye

[3] **mis tiempos de poeta** my po-
etic days

[4] **¡Vaya . . . mía!** What a poor
memory I have!

[5] **que** the fact that

[6] **Tenía . . . supersticiosa** She
was a bit superstitious.

[7] **moral y físicamente** morally
and physically

[8] **llegó a inspirarme celos** he
finally aroused my jealousy

[9] **El demonche del animalito**
The devilish little animal

[10] **en que** when

[11] **una de esas tantas embaucadoras** one of so many of
those impostors

[12] **hijo** darling

[13] **¡cosa del diablo!** what the
deuce!

[14] quererse escapar *for* querer escaparse

[15] lo (26a)

[16] le había saltado encima had leaped on him

[17] ¿Qué es de Michito? What has become of Pussy?

ACTIVE VOCABULARY

el afecto affection
a la vez at the same time
alcanzar to overtake, reach, succeed
caro, -a dear, expensive
los celos jealousy
la cólera anger, rage
la desgracia misfortune
difícil difficult, hard
la fantasía fancy
ganarse la vida to earn one's living

la habilidad ability, skill
imaginarse to imagine
el lector reader
el llanto weeping
parecido, -a similar
el pecado sin
por más que however much
el porvenir future
la rodilla knee
la tormenta storm

CUESTIONARIO

I

1. ¿Era muy bella la muchacha?
2. ¿Quería ella mucho al autor?
3. ¿Cuántos años tenía ella?
4. ¿Tenía la muchacha ojos hermosos?
5. ¿Por qué no recuerda su nombre el autor?
6. ¿En qué creía ella?
7. ¿Qué pensaba ella de su novio?
8. ¿Qué decía ella de sus versos?
9. ¿Quién era Michito?
10. ¿Cómo adornaba ella al gato?
11. ¿Qué inspiró el gato al autor?
12. ¿Qué ocurrió cuando el autor dió un puntapié al gato?

II

1. ¿Qué le dió el autor al gato?
2. ¿Qué leía la muchacha en el periódico?

3. ¿Quién era Adelaida?
4. ¿A dónde fueron el domingo?
5. ¿Qué vieron en la casa de la bruja?

III

1. ¿En qué se fijó la muchacha?
2. ¿Qué exclamó la bruja?
3. ¿De quién se había enamorado la mujer?
4. ¿Qué hizo el gato de la bruja?
5. ¿Por dónde arrojó ella su gato?
6. ¿A dónde condujeron al joven?
7. ¿Cómo estaba la muchacha después de oír la historia?
8. ¿Qué murmuró dulcemente?
9. ¿Por qué se sorprendió el autor al ir a visitarla?
10. ¿Qué le preguntó él a su novia?
11. ¿Cuál fué la respuesta de ella?

UN VIAJE AL OTRO MUNDO

I

En la primavera del año 1929 la Fundación Carnegie para la Paz Internacional invitó a doce periodistas europeos a recorrer los Estados Unidos.

Huelga decir[1] que, bajo los auspicios de una entidad tan prestigiosa, se nos abrieron todas las puertas. Hablamos a todo el mundo, desde el presidente Hoover al jefe de los pieles rojas de Montana, el terrible *Ojo de Halcón*, quien nos sacó a bailar, nos cubrió de plumas y collares y nos confirió algunos títulos honoríficos, de los que sólo recuerdo el de nuestro compañero Cortesi: *Matacoquipapi* o *El oso que ataca.*

En Wáshington, el Congreso, advertido por uno de sus miembros de que estábamos en la tribuna de la Prensa, interrumpió por unos minutos la sesión para darnos los tres hurras de bienvenida, y, en Salt Lake City, la ciudad mormónica; no nos tratamos más que con profetas, apóstoles y patriarcas. Fuimos huéspedes oficiales de 15 ó 20 ciudades, y miembros de honor de 60 ó 70 clubs. Inauguramos un *rascacielos* en Minneápolis, un puente en el Redwood Empire y algo más extraordinario todavía: una abadía del siglo XII en el Estado de Virginia, abadía que Míster Weddell, antiguo cónsul general de los Estados Unidos en Méjico, transportó piedra por piedra desde Inglaterra. En Wáshington habíamos visitado ya una catedral muy antigua, que estaba en vías de construcción, y donde la transición del románico al gótico se iniciaba bajo los mejores auspicios.

Generalmente, al llegar a cada una de las ciudades que figuraban en nuestro itinerario, nos recibían los hijos ilustres de la misma, pero a veces la ciudad, recién fundada, carecía de hijos, y entonces eran sus propios padres quienes se encargaban de nuestra recepción. Los

fotógrafos solían pillarnos en la misma estación del
ferrocarril, fatigados del viaje, sucios y soñolientos, pero
luego salvaban nuestra coquetería poniendo en los
periódicos mi nombre bajo el retrato del invitado letón y
el del invitado letón bajo el mío. En cuanto a los in- 5
formadores, ¿qué importaba el que le atribuyesen al
doctor Breznick mis declaraciones sobre la política es-
pañola, si al mismo tiempo me hacían aparecer a mí
como una autoridad en asuntos yugoeslavos, poniendo
en mi boca las manifestaciones del doctor Breznick? 10

De la estación nos llevaban al Ayuntamiento, donde
teníamos que oír doce himnos nacionales—el himno
nacional español era frecuentemente *La Paloma* o el *Ay,*
*ay, ay*³—, saludar otras tantas banderas, escuchar un
número no menor de discursos y estrechar manos tanto 15
más hercúleas cuanto más cordiales.⁴ Una hora apenas
para darnos un remojón en el hotel, otra hora para la
visita de la ciudad en automóvil, y a la Cámara de
Comercio, al Círculo de la Prensa, a las recepciones
oficiales y a las recepciones particulares, a visitar fábricas, 20
granjas, minas, mataderos, traídas de aguas, escuelas,
hospitales, universidades, laboratorios, museos, iglesias,
bibliotecas . . . Al salir, sudando el quilo, de una fundición, donde el aire estaba a cincuenta grados centígrados,
nos metían en una cámara frigorífica, y, después de 25
presentarnos a un grupo de reinas de la belleza, nos
llevaban a ver balas de algodón que cubrían una extensión de tres o cuatro kilómetros. Y lo de menos⁵ no era
el oír discursos, sino el tener que pronunciarlos en el
inglés de que disponíamos. Mis compañeros solían 30
lanzarse a la empresa heroicamente, y tal era la buena
voluntad general, que siempre salían triunfantes. En la
mayoría de los casos nadie entendía lo que decían, pero
no hacía falta. Con una sola palabra que el orador
pronunciase de un modo inteligible, la palabra *street*, 35
por ejemplo, bastaba y sobraba. Al percibirla, el auditorio

se agarraba a ella con una energía de náufrago, y prorrumpía en una formidable ovación.

—*Street, oh, yes! Street, indeed. Very good. Clever fellow. Hurrah . . . !*

¡Magnífico aquel viaje de 18.000 kilómetros por los Estados Unidos, en el que visitamos cárceles como la de Stillwater (Minnesota) y hoteles como el Stevens, de Chicago.

—¿Cuál es el objeto—le preguntaba yo a un norteamericano—de ser un hombre honrado en este país y pagar seis o siete dólares diarios para vivir en un hotel que parece una cárcel cuando, siendo bandido,[6] se puede vivir gratis en una cárcel que parece un hotel?

Magnífico viaje; pero este viaje magnífico, ¿qué finalidad tenía? ¿Por qué se había escogido a doce hombres en doce diferentes países de Europa, y se les paseaba por los Estados Unidos sometiéndolos a temperaturas alternas? ¿Qué relacion podía haber entre nuestros reflejos puramente físicos y la paz internacional?

La cosa es bastante complicada y, con permiso del lector, vamos a trasladarla al capítulo siguiente.

II

Poco a poco comenzamos a sospechar que, so pretexto de hacernos ver los Estados Unidos, lo que realmente se pretendía con el viaje a que nos invitó la Fundación Carnegie era que los Estados Unidos nos viesen a nosotros. A este pueblo le encanta el circo, y míster Cauvin, el hombre de la American Express encargado de nuestro transporte, le exhibía el circo de las nacionalidades europeas con un ejemplar de cada especie: desde el oso alemán al mono francés, y desde el canario italiano a la ballena del Báltico.

La cosa se nos reveló por completo en Saint Paul (Minnesota) donde, a ruego de los circunstantes, cada uno de nosotros tuvo que pronunciar tres o cuatro pala-

bras en su propia lengua plenamente convencido de que
nadie le iba a comprender. ¿Se concibe[7] una curiosidad
más desinteresada? Allí se vió bien claro[8] que el interés
con que solía observársenos era de un carácter puramente
zoológico. Mejor o peor, todos podíamos expresarnos en 5
inglés; pero no se trataba de entendernos, sino de clasi-
ficarnos fonéticamente como se clasifica a los individuos
de otras especies cuando se dice, por ejemplo, que el
perro ladra, el buey muge, el caballo relincha o la gallina
cacarea. En Saint Paul, los americanos vieron que, efectiva- 10
mente, cada uno de nosotros hablaba una lengua distinta
de la que usaban sus compañeros, y esto les resultó ya
bastante cómico; pero, si hubiesen podido ver, de un
modo igualmente directo, que nuestras distintas lenguas
representaban, por lo general, culturas diferentes, la cosa 15
les hubiese resultado muchísimo más cómica todavía.

Yo creo que, en el fondo, todo esto de las lenguas y
las culturas europeas les parece a los americanos una
supervivencia monstruosa, algo así como la famosa muela
del juicio, que no sirve para nada más que para molestar. 20
El que[2] en una extensión territorial no mucho mayor que
la del Estado de Texas haya focos de civilización tan
poderosos y tan diferentes entre sí como Venecia y Sevilla,
Heidelberg y Amsterdam, Toledo y Cracovia, Nápoles
y Santiago de Compostela, Córdoba y Viena, Chartres y 25
Granada, Florencia y Budapest, Brujas y Berlín, etc., etc.,
les inspira un sentimiento parecidísimo a la piedad,
porque opinan que de ello no pueden salir más que
disgustos. En último término, aquí hay también un
Toledo y una Granada, una Siracusa y hasta un París, 30
y a ninguna de estas ciudades se le ha ocurrido jamás
crear una civilización propia, lo que hace que todas
vivan en la mejor armonía.

Hay que tener en cuenta, de un lado, que Nueva York
está tan lejos de San Francisco como de Liverpool, y, de 35
otro lado que, así como Europa se ha formado por
clasificación, de una manera que pudiéramos llamar

analítica, los Estados Unidos se formaron por aglomeración, de un modo que llamaremos sintético. Europa es el análisis; América es la síntesis, y el americano no comprenderá jamás al europeo ni el europeo al americano. Europa produce vino, *gin*, coñac, y América, especialmente desde la ley de Prohibición, hace *cock-tails*. Del mismo modo Europa produce italianos, españoles, alemanes y franceses, y América forma ciudadanos americanos. Los Estados Unidos de Europa,[9] esos famosos Estados Unidos por los que todo el mundo nos incitaba aquí a trabajar, ya están constituidos y son los Estados Unidos de América, donde las poblaciones europeas más antagónicas conviven de un modo fraternal sin diferencia de idiomas ni de fronteras, de intereses ni de cultura.

No. América no comprenderá nunca a Europa ni Europa a América. Si Europa pudiese comprender a América, mi excelente amigo el ministro Billman no se hubiese atrevido nunca a presentar en las casas americanas una República de veinticinco mil kilómetros cuadrados, que él mismo había fundado un día con algunos contertulios en un café de Riga, porque con veinticinco mil kilómetros cuadrados apenas si[10] aquí se puede fundar un *farm* para la explotación agrícola o avícola.

Si América pudiese comprender a Europa, las señoras americanas no le preguntarían a mi compañero Petridis, como le preguntó cierto día una de las más distinguidas, si él era un griego antiguo o moderno. Evidentemente, aquella señora sabía que Petridis, a pesar de su falta de pelo, no había cumplido aún los dos mil quinientos años; pero su pregunta, a mi modo de ver, no tenía relación alguna con esto. ¿Es que en la vieja Inglaterra no hay gentes contemporáneas de las gentes de Nueva Inglaterra? ¿Es que no existen al mismo tiempo York y Nueva York?

Se suele decir[11] que América desconoce la geografía de Europa, pero no es precisamente que la desconozca, sino que no la entiende. Europa constituirá siempre una sor-

presa para los americanos, y esto es lo que explica el
éxito enorme del circo Carnegie. Las ciudades que no
figuraban en nuestro itinerario se consideraban poster-
gadas y escribían a la Fundación reclamando nuestra
presencia, como ocurrió con Los Ángeles, adonde unos 5
cuantos miembros del grupo hicimos desde San Francisco
una excursión particular; y a veces una misma ciudad se
dividía en dos bandos, cada uno de los cuales pretendía
acapararnos con exclusión completa del otro, lo que
sucedió, por ejemplo, en Chicago, para citar un caso 10
concreto. Las fábricas de galletas o de cigarrillos, de
clavos o de lapiceros, de máquinas de coser o de máquinas
de escribir que había en los pueblos por donde pasábamos
teníamos que visitarlas una por una, robándole horas al
sueño, para que luego los periódicos tradujesen en 15
publicidad las banalidades de rigor en tales visitas y
publicasen a toda plana títulos de este jaez: «Mejores
publicistas Europa proclaman estilográficas Smith mejores
estilográficas América.» Por cierto que dos paquetes de
cigarrillos y una lata de galletas que nos dieron a cada 20
uno en las dos primeras fábricas nos alarmaron un tanto.[12]

¿Qué será—pensamos—cuando empecemos a ver la
fabricación de gramolas y de automóviles con los terribles
derechos que estas mercancías pagan en Europa?

Pero se conoce que nosotros no fuimos los únicos en 25
adoptar este punto de vista y que los magnates de la
industria americana no quisieron crearnos una situación
embarazosa.

No dormíamos. No vivíamos. No teníamos nunca un
cuarto de hora del que pudiéramos disponer a nuestro 30
gusto. La hospitalidad americana se manifestaba con
respecto a nosotros en una forma tan enérgica y tan activa
que llegamos a pensar[13] en la huelga—una huelga que
consistiese en negarnos a ser obsequiados durante más de
doce horas al día—como único medio de salvar la pelleja. 35
Y por cierto que uno de los partidarios más entusiastas

de la huelga era el belga Landoy, nuestro excelente camarada, quien, hacia el fin de la excursión, murió de un modo espantoso: abrasado por las salpicaduras de un *geyser* en el Yellowstone National Park . . .

Perdone el lector estos recuerdos de un viaje que se realizó hace más de un año. En aquel viaje fué donde advertí las diferencias esenciales que separan a la Europa diversa de este país uniforme y federal.

Adapted from Julio Camba: *La ciudad automática*

NOTES

[1] **Huelga decir** It is needless to say
[2] **el que** the fact that
[3] *La Paloma* o el *Ay, ay, ay,* two well-known Spanish-American songs
[4] **estrechar . . . cordiales** to shake hands which seemed to be cordial in proportion to their size
[5] **lo de menos** the worst
[6] **siendo bandido** by being a bandit
[7] **¿Se concibe . . . ?** Can you imagine

[8] **se vió bien claro** one could see very clearly
[9] **Estados Unidos de Europa** the United States of Europe, *an idea originally proposed by Briand. An office is still maintained in Geneva to further this plan.*
[10] **apenas si** scarcely
[11] **Se suele decir** It is usually said
[12] **un tanto** somewhat
[13] **llegamos a pensar** we finally thought

ACTIVE VOCABULARY

advertido, -a informed, warned
bailar to dance
la **belleza** beauty
la **cárcel** jail, prison
carecer de to lack
con respecto a in regard to
la **empresa** enterprise, undertaking
encargado, -a charged
escuchar to listen
hacerle falta to need

el **idioma** language
el **invitado** guest
la **máquina** machine
el **país** country
poderoso, -a powerful
el **retrato** portrait, picture
sobrar to be more than enough
tener en cuenta to bear in mind
único, -a only
unos cuantos several

CUESTIONARIO

I

1. ¿A quiénes invitó la Fundación Carnegie?
2. ¿Con quiénes hablaron los periodistas?
3. ¿Qué hicieron los miembros del Congreso?
4. ¿Qué inauguraron en Minneápolis?
5. ¿Qué cosa extraordinaria vieron ellos en Virginia?
6. ¿Quiénes recibían a los periodistas?
7. ¿En qué condición llegaban los periodistas?
8. ¿Qué tenían que oír en el Ayuntamiento?
9. ¿Qué iban a visitar?
10. ¿Cuál era el problema más serio de los viajeros?

II

1. ¿Cuál era el objeto del viaje?
2. ¿Qué exhibía míster Cauvin?
3. ¿Qué tuvieron que hacer los periodistas en Saint Paul?
4. ¿Qué clase de interés mostraba el público?
5. ¿Qué resultó bastante cómico en Saint Paul?
6. ¿Qué grandes ciudades menciona el autor?
7. ¿Cómo se han formado los Estados Unidos?
8. ¿Qué produce Europa?
9. ¿Qué presentó el ministro Billman en las casas norteamericanas?
10. ¿Qué le preguntó una señora al señor Petridis?
11. ¿Qué constituye una sorpresa para los norteamericanos?
12. ¿A qué establecimientos iban en los pueblos que visitaban?
13. ¿Qué les dieron en algunas fábricas?
14. ¿Por qué llegaron a pensar en una huelga?
15. ¿Qué advirtió el autor durante el viaje?

LA PARED

Siempre que los nietos del tío *Rabosa* se encontraban
con los hijos de la viuda de *Casporra* en las sendas de la
huerta[1] o en las calles de Campanar, todo el vecindario
comentaba el suceso. ¡Se habían mirado! . . . ¡Se in-
sultaban con el gesto! . . . Aquello acabaría mal, y el
día menos pensado[2] el pueblo sufriría un nuevo disgusto.

El alcalde con los vecinos más notables predicaban paz
a los mocetones de las dos familias enemigas, y allá iba el
cura, un vejete de Dios, de una casa a otra, recomendando
el olvido de las ofensas.[3]

Treinta años que[4] los odios de los *Rabosas* y *Casporras*
traían alborotado a Campanar. Casi en las puertas de
Valencia, en el risueño pueblecito que desde la orilla del
río miraba a la ciudad con los redondos ventanales de su
agudo campanario, repetían aquellos bárbaros, con un
rencor africano, la historia de luchas y violencias de las
grandes familias italianas en la Edad Media. Habían sido
grandes amigos en otro tiempo;[5] sus casas, aunque situadas
en distinta calle, lindaban por los corrales, separados
únicamente por una tapia baja. Una noche, por cuestiones de riego, un *Casporra* tendió en la huerta de un
escopetazo a un hijo del tío *Rabosa*, y el hijo menor de
éste, porque[6] no se dijera que en la familia no quedaban
hombres, consiguió, después de un mes de acecho, colo-
carle una bala entre las cejas al matador. Desde entonces
las dos familias vivieron para exterminarse, pensando
más en aprovechar los descuidos del vecino que en el
cultivo de las tierras. Escopetazos en medio de la calle;
tiros que al anochecer relampagueaban desde el fondo
de una acequia o tras los cañares o ribazos cuando el
odiado enemigo regresaba del campo; alguna vez, un
Rabosa o un *Casporra* camino del[7] cementerio con una
onza de plomo dentro del pellejo, y la sed de venganza
sin extinguirse, antes bien,[8] extremándose con las nuevas

generaciones, pues parecía que en las dos casas los chiqui-
tines venían al mundo tendiendo las manos a la escopeta
para matar a los vecinos.

Después de treinta años de lucha, en casa de los *Cas-*
porras sólo quedaba una viuda con tres hijos mocetones 5
que parecían torres de músculos. En la otra estaba el tío
Rabosa, con sus ochenta años, inmóvil en un sillón de
esparto, con las piernas muertas por la parálisis, como
un arrugado ídolo de la venganza, ante el cual juraban
sus dos nietos defender el prestigio de la familia. 10

Pero los tiempos eran otros.[9] Ya no era posible ir a
tiros como sus padres en plena plaza a la salida de misa
mayor. La guardia civil no les perdía de vista; los vecinos
les vigilaban y bastaba que uno de ellos se detuviera
algunos minutos en una senda o en una esquina para 15
verse al momento[10] rodeado de gente que le aconsejaba
la paz. Cansados de esta vigilancia que degeneraba en
persecución y se interponía entre ellos como infranqueable
obstáculo, *Casporras* y *Rabosas* acabaron por no buscarse,
y hasta se huían cuando la casualidad les ponía frente 20
a frente.

Tal fué su deseo de aislarse y no verse, que les pareció
baja la pared que separaba sus corrales. Las gallinas de
unos y otros,[11] escalando los montones de leña, fra-
ternizaban en lo alto de las bardas; las mujeres de las 25
dos casas cambiaban desde las ventanas gestos de desprecio. Aquello no podía resistirse; era como vivir en
familia,[12] y la viuda de *Casporra* hizo que sus hijos levan-
taran la pared una vara. Los vecinos se apresuraron a
manifestar su desprecio con piedra y argamasa, y aña- 30
dieron algunos palmos más a la pared. Y así, en esta
muda y repetida manifestación de odio, la pared fué
subiendo y subiendo. Ya no se veían las ventanas;[13] poco
después no se veían los tejados; las pobres aves del corral
estremecíanse en la lúgubre sombra de aquel paredón que 35
las[14] ocultaba parte del cielo, y sus cacareos sonaban
tristes y apagados a través de aquel muro, monumento

del odio, que parecía amasado con los huesos y la sangre de las víctimas. Así trascurrió el tiempo para las dos familias, sin agredirse como en otra época, pero sin aproximarse: inmóviles y cristalizadas en su odio.

Una tarde sonaron a rebato las campanas del pueblo. Ardía la casa del tío *Rabosa*. Los nietos estaban en la huerta; la mujer de uno de éstos en el lavadero, y por las rendijas de puertas y ventanas salía un humo denso de paja quemada. Dentro, en aquel infierno que rugía buscando expansión, estaba el abuelo, el pobre tío *Rabosa*, inmóvil en su sillón. La nieta se mesaba los cabellos, acusándose como autora de todo por su descuido; la gente arremolinábase en la calle, asustada por la fuerza del incendio. Algunos, más valientes, abrieron la puerta, pero fué para retroceder ante la bocanada de denso humo cargada de chispas que se esparció por la calle.

— ¡El *agüelo!* ¡El pobre *agüelo!*—gritaba la de los *Rabosas*[15] volviendo en vano la mirada en busca de un salvador.

Los asustados vecinos experimentaron el mismo asombro que si hubieran visto el campanario marcharse hacia ellos. Tres mocetones entraban corriendo en la casa incendiada. Eran los *Casporras*. Se habían mirado cambiando un guiño de inteligencia y sin más palabras[16] se arrojaron como salamandras en el enorme brascro. La multitud les aplaudió al verles reaparecer llevando en alto como a un santo en sus andas al tío *Rabosa* en su sillón de esparto. Abandonaron al viejo sin mirarle siquiera, y otra vez adentro.

—¡No, no!—gritaba la gente.

Pero ellos sonreían siguiendo adelante. Iban a salvar algo de los intereses de sus enemigos. Si los nietos del tío *Rabosa* estuvieran allí, ni se habrían movido ellos de casa. Pero sólo se trataba de un pobre viejo, al que debían proteger, como hombres de corazón. Y la gente les veía tan pronto en la calle como dentro de la casa,[17] buceando en el humo, sacudiéndose las chispas como inquietos demonios, arrojando muebles y sacos para volver a meterse entre las llamas.

Lanzó un grito la multitud al ver a los dos hermanos mayores sacando al menor en brazos. Un madero, al caer, le había roto una pierna.[18]

—¡Pronto, una silla!

La gente, en su precipitación, arrancó al viejo *Rabosa* de su sillón de esparto para sentar al herido.

El muchacho, con el pelo chamuscado y la cara ahumada, sonreía ocultando los agudos dolores que le hacían fruncir los labios. Sintió que unas manos trémulas, ásperas, con las escamas de la vejez, oprimían las suyas.

—¡*Fill meu! ¡fill meu!*—gemía la voz del tío *Rabosa*, quien se arrastraba hacia él.

Y antes que el pobre muchacho pudiera evitarlo, el paralítico buscó con su boca desdentada y profunda las manos que tenía agarradas y las besó, las besó un sinnúmero de veces, bañándolas con lágrimas.

. . . .

Ardió toda la casa. Y cuando los albañiles fueron llamados para construir otra, los nietos del tío *Rabosa* no les dejaron comenzar por la limpia del terreno cubierto de negros escombros. Antes tenían que hacer un trabajo más urgente: derribar la pared maldita. Y empuñando el pico, ellos dieron los primeros golpes.

Vicente Blasco Ibáñez

NOTES

[1] **huerta** *the irrigated garden land around Valencia; said to be one of the most fertile regions in the world*

[2] **el día menos pensado** some fine day

[3] **recomendando . . . ofensas** advising them to forget their offenses

[4] **Treinta años que** For thirty years

[5] **en otro tiempo** in former times

[6] **porque** in order that

[7] **camino de** bound for, headed for

[8] **antes bien** rather

[9] **los tiempos eran otros** times had changed

[10] al momento immediately
[11] unos y otros both
[12] en familia like one family
[13] Ya . . . ventanas The windows were no longer visible
[14] las indirect object from them (10)
[15] la de los *Rabosas* the *Rabosa* woman
[16] sin más palabras without further words
[17] tan pronto . . . casa now in the street, now in the house
[18] le . . . pierna had broken one of his legs

ACTIVE VOCABULARY

el abuelo grandfather
aconsejar to advise
agudo, -a sharp, acute
arder to burn
el bárbaro barbarian, brute
la campana bell
derribar to tear down
esparcir to scatter
el herido wounded man
el incendio fire

el nieto grandson
la orilla shore, bank
la paja straw
la plaza square
redondo, -a round
la sed thirst
la senda path
sonar (ue) to sound, ring
la torre tower
la venganza vengeance

CUESTIONARIO

1. ¿Quiénes se encontraban a veces en la calle?
2. ¿Quiénes predicaban paz?
3. ¿Dónde está Campanar?
4. ¿Qué repetían aquellos bárbaros?
5. ¿Dónde están situadas sus casas?
6. ¿A quién mató un *Casporra*?
7. ¿Se querían las dos familias?
8. ¿Cómo eran los hijos de la viuda?
9. ¿Quién era el tío *Rabosa*?
10. ¿Qué hacía la guardia civil?
11. ¿Qué hacían las mujeres de las dos casas?
12. ¿Por qué hicieron levantar la pared?
13. ¿Qué ocurrió una tarde?
14. ¿Por dónde salía el humo?
15. ¿Quién estaba dentro de la casa?
16. ¿Por qué experimentaron asombro los vecinos?

17. ¿Qué hicieron los jóvenes?
18. ¿Qué iban a salvar también?
19. ¿Cuándo lanzó un grito la multitud?
20. ¿Qué hacía el herido?
21. ¿Qué hizo el paralítico?
22. ¿Para qué vinieron los albañiles?
23. ¿De qué estaba cubierto el terreno?
24. ¿Qué había que hacer antes de construir la casa?

GRAMMATICAL SUMMARY

1. **Uses of the Definite Article.** The definite article is used:
   a. Before nouns denoting parts of the body and articles of clothing: **Lleva el sombrero en la cabeza** — *He wears his hat on his head.*
   b. With nouns used in a general sense: **Las flores son hermosas** — *Flowers are beautiful.*
   c. With abstract nouns: **La salud es un gran tesoro** — *Health is a great treasure.*
   d. With titles, like **señor, señora, señorita, general, doctor,** when used in indirect address: **El señor Gómez es muy rico** *Mr. Gómez is very rich.*
   e. With the names of the seasons and the days of the week: **El verano es la estación del calor** — *Summer is the hot season.* **Viene los domingos** — *He comes on Sundays.*
   f. With the adjectives **próximo** *next* and **pasado** *last*: **la semana próxima** — *next week*; **el mes pasado** — *last month.*
2. **Uses of lo.** Lo is used:
   a. With adjectives to form an expression equivalent to an abstract noun: **Lo agradable no es siempre bueno** — *What is pleasant is not always good.*
   b. With an adjective that agrees in gender and number with a noun, to translate *how* + adjective: **Vd. no sabe lo hermosa que es mi novia** — *You do not know how beautiful my sweetheart is.*
   c. In a few idiomatic expressions: **A lo lejos** — *in the distance*; **por lo menos** — *at least.*
3. **Position of Adjectives.**
   a. Limiting adjectives precede the noun: **Muchos libros.**
   b. Descriptive adjectives denoting an inherent or logical characteristic precede the noun: **Blanca nieve** — *white snow*; **hermosas flores** — *beautiful flowers.*
   c. Descriptive adjectives indicating a differentiating characteristic follow the noun: **Libro hermoso** — *beautiful book.*
   d. Two differentiating adjectives follow the noun and are connected by **y**: **Un hombre fuerte y valiente** — *a strong, brave man.*
   e. When a noun is modified by a logical and a differentiating adjective, the former precedes the noun and the latter follows it: **Un hermoso teatro nuevo** — *a beautiful new theater.*
4. **Comparison of Adjectives.** The adjectives **bueno, malo, grande,**

and **pequeño** have an irregular comparison in addition to the regular one:

bueno *good*	**mejor** *better*	**el mejor** *the best*
malo *bad*	**peor** *worse*	**el peor** *the worst*
grande *large*	**mayor** *older*	**el mayor** *the oldest*
pequeño *small*	**menor** *younger*	**el menor** *the youngest*

Mayor and **menor** (irregular forms) are used to denote age, while **más grande**, **más pequeño** (regular forms) are used to denote size.

5. **Diminutives.** The more common diminutive terminations are -ito, -ita, -cito, -cita, -illo, -illa. These endings denote smallness and, at times, endearment: **Niñito** — *small boy*; **Madrecita** — *dear mother*; **pajarillo** — *little bird*. The terminations -cito, -cita are often added to words of more than one syllable ending in n or r: saloncito, autorcito.

6. **Augmentatives.** The more common augmentative endings are -ón, -ona, -ote, -ota, -acho, -ucho. The last two carry also a connotation of scorn: **hombrón** — *big man*; **grandote** — *very large*; **ricacho** — *very rich*; **flacucho** — *very thin*.

7. **Comparisons.**

tan . . . como	*as . . . as*
tanto, -a . . . como	*as much . . . as*
tantos, -as . . . como	*as many . . . as*
cuanto . . . tanto	*the . . . the*

Tengo tantas casas como Vd. — *I have as many houses as you.*
Cuanto más trabaja, tanto más gana — *The more he works, the more he earns.*

8. **Demonstratives.** Aside from the regular demonstratives (**éste, ése,** and **aquél**), **el, la, los, las** may be used as demonstrative pronouns when followed by **de** or **que: el de, la de** — *that of*; **los que, las que** — *those who*. Occasionally the English 's calls for the use of the latter demonstratives: **Mi libro y el de Juan** — *My book and John's* (*that of John*).

9. **Uses of *Se*.** Se is used:

   a. As the reflexive pronoun of the third persons, singular and plural: **Él se lava; ellos se lavan.**

   b. To translate the reciprocals *each other, one another:* **Se miran** — *They look at each other.*

   c. As an indirect object pronoun, when there are two object pronouns in the third person: **Se lo doy** — *I give it to him.*

   d. With the passive voice, when the agent is not expressed: **Se preparan las comidas** — *The meals are being prepared* (understood: *by some one*).

   e. To express the idea of *away* with verbs of motion: **Irse** — *to go away*; **marcharse** — *to go away.*

f. With certain Spanish verbs that are not reflexive in English. Compare:

acostar — *to put to bed*   dormir — *to sleep*
acostarse — *to go to bed*   dormirse — *to fall asleep*

despertar — *to awaken*   levantar — *to raise*
despertarse — *to wake up*   levantarse — *to get up*

negar *to deny*
negarse — *to refuse*

10. **Object Pronouns.** The object pronouns of the third person are:

Indirect		Direct	
le	*to him, to her, to you*	le	*him*
		la	*her, it*
		lo	*it*
les	*to them, to you (pl.)*	los	*them, you*
		las	*them, you*

Sometimes **lo** is used for **le** (*him*) and **les** for **los** (*them*): **No quiero verlo** — *I do not want to see him*. **No desea encontrarles en la calle** — *He does not want to meet them in the street*. Similarly, **la** is sometimes used for **le** (*to her*): **Él la dijo su nombre** — *He told her his name*.

11. **Uses of the Infinitive.** The infinitive is used:

   a. After the verbs **hacer** and **mandar** in the causative construction: **Hizo pintar la casa** — *He had the house painted*.
   b. After verbs of perception: **ver, sentir, oír**: **Vió venir al Sr. Cruz** — *He saw Mr. Cruz come*.
   c. After prepositions: **Salió sin hablar** — *He left without speaking*.
   d. After a finite verb: **Quiere comprarlo** — *He wants to buy it*.
   e. To express the idea contained in a dependent clause in English when there is no change of subject: **Ellos creen saberlo todo** — *They believe that they know it all*.

12. **Radical Changing Verbs.** There are three classes of radical changing verbs. Class I includes verbs of the first and second conjugations; Class II and Class III include only verbs of the third conjugation.

Class I		Class II	Class III
acordar	extender	divertirse	despedirse
acostarse	llover	dormir	pedir
confesar	mover (se)	morir	repetir
contar	perder	preferir	servir
pensar	poder	sentir (se)	vestirse
rogar	querer		
sentarse	volver		
soñar			

a. First-class verbs change e>ie, o>ue in three cases:
1. Present indicative, 1st, 2nd, 3rd persons singular and 3rd person plural.
2. Present subjunctive, 1st, 2nd, 3rd persons singular and 3rd person plural.
3. Imperative singular.

b. Second-class verbs change e>ie, o>ue in the three cases of Class I. They also change e>i, o>u in four cases:
1. Preterite, third person singular and plural.
2. Present subjunctive, 1st and 2nd persons plural.
3. Imperfect subjunctive, throughout.
4. Present participle.

c. Third-class verbs change e>i in the same cases as Class II, namely, in all seven cases.

13. *Ser* and *Estar* with a Past Participle.

a. The verb ser is used with a past participle to translate the passive voice when an agent is expressed. In this construction the past participle is treated as an adjective in that it agrees in gender and number with the subject: **Las puertas son cerradas por Juan** — *The doors are closed by John.*

b. The verb estar is used with a past participle to denote a resultant state or condition. Here the past participle has the function of an adjective: **La cena está ya preparada** — *The supper is already prepared.*

14. **Progressive Construction.** Ordinarily a progressive construction is formed by the auxiliary estar and a present participle: **Yo estoy cantando** — *I am singing.* The verbs andar, seguir, ir, and venir are also used to form progressive constructions when the ideas of motion or continuity of action are to be conveyed: **Él va corriendo** — *He is running.* **Anda llorando** — *He goes along crying.*

15. **Future and Conditional of Probability.** The future and the conditional are used to express probability in the present and past, respectively: **¿Quién será?** — *I wonder who he is. Who can he be?* **Serían los señores Blanco** — *It was probably Mr. and Mrs. Blanco.*

16. **Formal Commands.** To express formal commands, the third persons, singular and plural, of the present subjunctive are used: **hable Vd., hablen Vds.; no aprenda Vd., no aprendan Vds.; viva Vd., vivan Vds.**

17. **Familiar Commands.**

a. The endings of the affirmative familiar commands are:
I habl-**a** tú; habl-**ad** vosotros
II aprend-**e** tú; aprend-**ed** vosotros
III viv-**e** tú; viv-**id** vosotros

   b. For negative familiar commands, the second person, singular and plural, of the present subjunctive is used: **no hables tú, no habléis vosotros.**

18. **Uses of the Subjunctive.** The subjunctive is used:

   a. In noun clauses dependent on verbs of wishing, commanding, requesting, permission, negative belief, doubt, feeling, emotion, and impersonal expressions; **Desean que les hable. Esperan que venga. Es necesario que Vds. trabajen.**

   b. In adjective clauses referring to a negative or indefinite antecedent: **¿Conoce Vd. un hombre que hable español? No tengo nada que pueda interesarle.**

   c. In adverb clauses dependent on expressions of
      1. time, if future time is implied.
      2. concession, if an unaccomplished fact is denoted.
      3. proviso.
      4. purpose.
      5. after sin que.
     Háblele cuando venga. Vendrá siempre que tenga tiempo. Cerró la puerta para que yo no entrase.

   d. The imperfect subjunctive is used in the *if* clause of a past condition when it is of the contrary-to-fact or *should-would* variety: **Lo compraría si tuviese dinero. Si yo fuese, me contestarían en seguida.**

   e. The imperfect subjunctive is used after **como si** — *as if, as though:* **Camina como si estuviese enfermo.**

19. **Participial Construction.** The past participle may be used in Spanish much like the Latin ablative absolute. In this construction the past participle is usually placed at the beginning of the sentence: **Recibidos los libros, acusamos recibo** — *The books having been received* (or, *When the books had been received*), *we acknowledged receipt.*

20. **Irregular Verbs** (for radical changing verbs, see section 12).

   a. **Andar.** *Pret.* anduve.

   b. **Caer.** *Pres.* caigo; *Pret.* cayó, cayeron; *Pres. subj.* caiga; *Impfct. subj.* cayese; *Pres. p.* cayendo.

   c. **Conducir.** *Pres.* conduzco; *Pret.* conduje; *Pres. subj.* conduzca; *Impfct. subj.* condujese.

   d. **Conocer.** *Pres.* conozco; *Pres. subj.* conozca.

   e. **Creer.** *Pret.* creyó, creyeron; *Impfct. subj.* creyese; *Pres. p.* creyendo.

   f. **Dar.** *Pres.* doy; *Pret.* di; *Pres. subj.* dé; *Impfct. subj.* diese.

   g. **Decir.** *Pres.* digo, dices, dice, dicen; *Pret.* dije; *Fut.* diré; *Cond.* diría; *Pres. subj.* diga; *Impfct. subj.* dijese; *Pres. p.* diciendo; *P. p.* dicho.

   h. **Estar.** *Pres.* estoy, estás, está, están; *Pret.* estuve; *Pres. subj.* esté, estés, esté, estén; *Impfct. subj.* estuviese.

i. **Haber.** *Pres.* he, has, ha, hemos, han; *Pret.* hube; *Fut.* habré; *Cond.* habría; *Pres. subj.* haya; *Impfct. subj.* hubiese.

j. **Hacer.** *Pres.* hago; *Pret.* hice; *Fut.* haré; *Cond.* haría; *Pres. subj.* haga; *Impfct. subj.* hiciese; *P. p.* hecho.

k. **Incluir.** *Pres.* incluyo, incluyes, incluye, incluyen; *Pret.* incluyó, incluyeron; *Pres. subj.* incluya; *Impfct. subj.* incluyese; *Pres. p.* incluyendo.

l. **Ir.** *Pres.* voy, vas, va, vamos, vais, van; *Impfct.* iba; *Pret.* fuí; *Pres. subj.* vaya; *Impfct. subj.* fuese; *Pres. p.* yendo.

m. **Oír.** *Pres.* oigo, oyes, oye, oyen; *Pret.* oyó, oyeron; *Pres. subj.* oiga; *Impfct. subj.* oyese; *Pres. p.* oyendo.

n. **Pertenecer.** *Pres.* pertenezco; *Pres. subj.* pertenezca.

o. **Poder.** *Pret.* pude; *Fut.* podré; *Cond.* podría; *Impfct. subj.* pudiese; *Pres. p.* pudiendo.

p. **Poner.** *Pres.* pongo; *Pret.* puse; *Fut.* pondré; *Cond.* pondría; *Pres. subj.* ponga; *Impfct. subj.* pusiese; *P. p.* puesto.

q. **Querer.** *Pret.* quise; *Fut.* querré; *Cond.* querría; *Impfct. subj.* quisiese.

r. **Saber.** *Pres.* sé; *Pret.* supe; *Fut.* sabré; *Cond.* sabría; *Pres. subj.* sepa; *Impfct. subj.* supiese.

s. **Salir.** *Pres.* salgo; *Fut.* saldré; *Cond.* saldría; *Pres. subj.* salga.

t. **Ser.** *Pres.* soy, eres, es, somos, sois, son; *Impfct.* era; *Pret.* fuí; *Pres. subj.* sea; *Impfct. subj.* fuese.

u. **Tener.** *Pres.* tengo, tienes, tiene, tienen; *Pret.* tuve; *Fut.* tendré; *Cond.* tendría; *Pres. subj.* tenga; *Impfct. subj.* tuviese.

v. **Traer.** *Pres.* traigo; *Pret.* traje; *Pres. subj.* traiga; *Impfct. subj.* trajese; *Pres. p.* trayendo.

w. **Valer.** *Pres.* valgo; *Fut.* valdré; *Cond.* valdría; *Pres. subj.* valga.

x. **Venir.** *Pres.* vengo, vienes, viene, vienen; *Pret.* vine; *Fut.* vendré; *Cond.* vendría; *Pres. subj.* venga; *Impfct. subj.* viniese; *Pres. p.* viniendo.

y. **Ver.** *Pres.* veo; *Impfct.* veía; *Pres. subj.* vea; *P. p.* visto.

21. **English Verbs with Double Translation.**

to ask	{ preguntar	*to ask a question*
	pedir	*to ask a favor*
to leave	{ salir	*to leave or depart*
	dejar	*to leave or abandon*
to know	{ saber	*to know a fact*
	conocer	*to know a person*
must	{ deber	*must (duty)*
	deber de	*must (probability)*

22. **Translations of *But*.**

   a. *But* is usually translated by pero. After a negative statement pero means *however* or *nevertheless*: **No tiene mucho dinero, pero la comprará** — *He does not have much money; nevertheless, he will buy it.*

   b. If the main clause is negative and *but* is followed by an incomplete thought, it is translated by sino: **No tiene lápices sino plumas.**

   c. If the main clause is negative and *but* is followed by a finite verb, it is translated by sino que. In this case *but* means *on the contrary*: **No le hablará por teléfono sino que le escribirá una carta.**

23. **Translations of *Than*.**

   a. When no dependent verb is introduced, the translation of *than* is que: **Tengo más libros que Vd.**

   b. In a comparison with a dependent verb and with a noun understood, *than* is translated by del que, de la que, de los que, de las que, according to the gender and number of the noun that is understood: **Compra más flores de las que necesita** — *He buys more flowers than he needs* (flowers understood).

   c. When the second element of such a comparison is a neuter idea, *than* is translated by de lo que: **Sabe menos de lo que Vd. cree** — *He knows less than you think.*

   d. Before a numeral, *than* is translated by de in affirmative sentences and by que in negative statements: **Tengo más de veinte dólares. No tengo más que diez duros.**

24. **Prepositions.** Many verbs require a special preposition before an object:

acordarse de	*to remember*
alegrarse de	*to be glad of*
asistir a	*to attend*
atreverse a	*to dare*
casarse con	*to marry*
contar con	*to count on*
deber de	*must*
dejar de	*to stop*
dirigirse a	*to go toward, address*
echarse a	*to start to*
enamorarse de	*to fall in love with*
encontrarse con	*to come upon, meet*
estar para	*to be about to*
fijarse en	*to notice*
gozar de	*to enjoy*
haber de	*to be going to, to be to*

insistir en	*to insist on*
negarse a	*to refuse*
olvidarse de	*to forget*
parecerse a	*to look like*
pensar en	*to think of*
ponerse a	*to begin*
quedarse con	*to keep*
reírse de	*to laugh at*
servir de	*to act as, be of use as*
servir para	*to be good for*
tardar en	*to be long in*
tratar de	*to try* ∴

25. **Uses of *Por* and *Para*.**

    a. **Para** is used to denote purpose or destination: **Hablo en inglés para explicarme mejor** — *I speak in English to make myself clearer.* **Partió para Cuba** — *He left for Cuba.*

    b. **Por** is used to express *through, in exchange for, for the sake of, along,* and to translate *per* or its equivalent: **Iba por la calle. Lo arrojó por la ventana. Lo hizo por su madre.**

26. **Word Order.**

    a. If a noun object is placed before the verb, the object must be repeated by means of the corresponding object pronoun: **A las niñas las vimos en la calle** — *We saw the girls in the street.*

    b. If an adverbial phrase or adverb is placed at the beginning of a sentence, the verb often precedes the subject: **En ese momento llegaba mi hermano** — *At that very moment my brother arrived.*

27. **Terminations.** In the following list are given some of the more common English terminations with their corresponding equivalents in Spanish:

English	Spanish	English	Spanish
-ty	-dad, -tud	university	universidad
-able	-able	probable	probable
-ly	-mente	generally	generalmente
-ic	-ico, -ica	economic	económico
-tion	-ción	attention	atención
-ism	-ismo	realism	realismo
-ent	-ente	excellent	excelente
-ence	-encia	absence	ausencia
-ous	-oso, -osa	vigorous	vigoroso
-ry	-ria	history	historia
-ate	-ar	circulate	circular
-ive	-ivo, -iva	expressive	expresivo
-y	-ía	geography	geografía

EXERCISES

I. ARTE DIABÓLICA

A

Form diminutives of the following nouns: (5)[1]

vecina	amiga	hija
rubia	lugar	balcón
cabeza	carta	hotel

B

Translate as phrases of a letter:

1. My dear young lady:
2. My dear Sir:
3. At your service.
4. Your humble servant.
5. Sincerely yours,
6. My dear friend: (*fem.*)

C

Read in Spanish and answer the questions in Spanish:

1. D. Enrique Pabón se casa con la señorita Teresa Pichardo. ¿Cuál será el nombre de la esposa?
2. El matrimonio tiene una hija, Aurora; ¿qué apellidos tiene esta señorita?
3. En el nombre de D. Arturo Larramendi y Ochoa ¿cuál es el apellido paterno?
4. Si Aurora se casa con Arturo, ¿cómo se llamará ella después del matrimonio?
5. Este último matrimonio tiene un hijo llamado José; ¿cuál es el nombre completo del niño?

D

Translate, observing especially the italicized words:

1. Es un hombre *mal educado*.
2. Tu *falta* de galantería es incomprensible.
3. Lo que Vd. está haciendo es una *incorrección*.
4. Me has dado un gran *disgusto*.
5. Quiero darle toda *clase* de explicaciones.

[1] Figures in parentheses refer to the Grammatical Summary.

II. EL COLLAR DE PERLAS

A

Translate the italicized words: (11)

1. El mestizo *had the pearls examined.*
2. Uno de los hombres *saw the automobile stop.*
3. Era necesario *to let a few days go by.*
4. Mis amigos *heard Mrs. Maxwell come.*
5. Podría venderlo *without awakening suspicion.*
6. El ingeniero *went out of his house again.*
7. Tuvo que partir *in spite of being sick.*
8. Llegó al comedor *without making any noise.*
9. La policía *would force him to tell the truth.*
10. Fué a una joyería *in order to learn its value.*

B

Translate the words in italics: (3)

1. Elías Barreiro era *a tall, slender man.*
2. Siempre le despedían a causa de *his bad temper.*
3. El mestizo observaba *the artistic pictures.*
4. Pudimos contemplar *the beautiful necklace.*
5. Tenía odio a *all human beings.*
6. Se decía que aquello era *a real fortune.*
7. Eran casas *of cheerful, simple aspect.*
8. Los esposos vivían en *a beautiful Spanish house.*
9. El ingeniero vivía en *one of the principal houses.*
10. Caían las perlas como *a white and joyous cascade.*

C

Translate, paying particular attention to the italicized words:

1. Un ingeniero había venido a ver a *los esposos.*
2. En aquella *población* no había una joyería.
3. Elías Barreiro volvía a *la miseria.*
4. Sacó *un fósforo* del bolsillo.
5. *Faltaban* siete perlas.
6. Salió corriendo porque creyó *sentir* ruido.
7. El mestizo era un hombre de mal *carácter.*

III. EL ABOGADO DE LOS ABOGADOS

A

Give the formal commands, singular and plural, of: (16) (20)

contestar	salir	hacer
leer	ir	traer
abrir	tener	poner
dar	decir	venir

B

Translate the following idiomatic sentences:

1. How are you getting along?
2. I am Mr. Gómez, at your service.
3. Come in!
4. He will come any day.
5. My word is enough.

C

Give the affirmative and negative familiar commands of: (17)

andar	cambiar
romper	pretender
vivir	escribir

D

Translate, paying particular attention to the italicized words:

1. Sabe *corresponder* a su amabilidad.
2. En mi casa no hay *portero*.
3. Nos sentamos cerca de *la chimenea*.
4. Ellos *pretenden* robarle el dinero.
5. ¿Por qué quieren *quitarle* el título?
6. ¿Quiere Vd. un *destino* mejor?
7. Tu hermano es un hombre de buen *genio*.
8. Estoy trabajando para que me *asciendan*.
9. ¿Quién le dió a Vd. ese *empleo*?
10. Eso no puede *suceder* aquí.

IV. EL GEMELO

A

Read the following sentences, translating into Spanish the italicized words: (8)

1. La condesa vió el gemelo y comprendió que era *that of her beloved son.*
2. Los míos *and Diego's* no son iguales.
3. Mis llaves *and those of Lucía* están en la mesa.
4. Han vendido mi casa *and that of the countess.*
5. Recibí su invitación *and also Gregorio's.*

B

Translate into Spanish the words in italics: (19)

1. *The door having been closed,* comprendí que estaba solo.
2. *After some minutes had passed,* vino la doncella.
3. *Having received the letter,* la condesa se puso a meditar.
4. *Once he understood the situation,* el señorito no quiso contestar.
5. *Having lost her jewels,* no le fué posible ir a la fiesta.

C

Translate into Spanish the italicized words: (9)

1. Las cartas *are received* por la mañana.
2. En nuestra casa *Spanish is spoken.*
3. La condesa y la criada *looked at each other.*
4. Mi madre *directed her steps* a la ventana.
5. *It was believed* que no había cosas de valor allí.
6. Mis amigos *went away* el mes pasado.
7. *It is known* que es muy rica.
8. Cuando llegó Gregorio *she gave it (f.) to him.*
9. *They got up* a las nueve de la mañana.
10. En tales circunstancias era imposible *to refuse.*

D

Translate into English:

1. Hace un mes que no *asiste a* las fiestas.
2. La condesa *guarda* los diamantes en el cajón.
3. Ahora debes *registrar* por todas partes.
4. ¡Qué *casualidad*! El gemelo estaba en el escritorio.
5. Gregorio, lleva esta carta a *la Delegación.*
6. Escribió *la dirección* en el sobre.
7. *Sintió* los pasos de Lucía.

V. EL MATRIMONIO DE DOÑA BRÍGIDA

A

Give the first person singular of the present and imperfect subjunctive of the following verbs: (20)

dar	hacer	saber	venir
decir	ir	salir	traer
estar	oír	ser	valer
haber	poner	tener	caer

B

Translate the words in italics: (18b)

1. Necesito un hombre *who can do it.*
2. Tráigame un libro *that is not too long.*
3. ¿Conoce Vd. a alguien *who speaks English well?*
4. No hay una sola persona *who wants to live there.*
5. Tiene un hermano *who writes his letters in Spanish.*
6. Mándeme una mujer *who will take care of my house.*

C

Translate the italicized words into Spanish: (18c)

1. Doña Brígida esperó *until he arrived.*
2. Déle esta esquela *when he enters the house.*
3. Ella venderá su alma *provided that they give her what she wants.*
4. Escribió la carta *in order that they send her the money.*
5. Llamaron a la puerta *after you left.*
6. No la recibirá *even if you write many times.*
7. Lo haré *on condition that you come early.*
8. No podrá hacerlo *without my helping her.*
9. Nunca lo sabrá *unless I tell it to you.*
10. Quería hablar con él *as soon as he arrived.*

D

Translate into English:

1. El pobre no pudo *resistirla* más.
2. ¡Qué *fino* es ese señor!
3. Era un caballero muy *simpático.*
4. Esos efectos teatrales *resultan* ridículos.
5. *Las modas* cambian todos los años.
6. Ella aprovechó *la ocasión.*

VI. EL DESERTOR

A

Give the optative and hortatory subjunctive of the following verbs:
Example: ver

Hortatory	veamos	let us see
Optative	que vea él	let him see
	que vea ella	let her see
	que vean ellos	let them (*m.*) see
	que vean ellas	let them (*f.*) see

cantar	ir	poner
leer	hacer	traer
recibir	decir	salir

B

Translate and tell to which class the following radical changing verbs belong: (12)

llover	sentarse	poder
servir	sentirse	morir
contar	divertirse	querer
pedir	vestirse	pensar
soñar	despedirse	extender
confesar	acostarse	preferir
perder	moverse	volver
dormir	acordarse	rogar

C

Translate into Spanish:

1. he remembers
2. it rains
3. they served (*pret.*)
4. he moved (*pret.*)
5. counting
6. he took leave (*pret.*)
7. being able
8. they will sleep
9. he dreams
10. we lose
11. dressing
12. do not sit down!
13. he may prefer (*pres. subj.*)
14. they beg
15. she might die (*impfct. subj.*)
16. we may sleep (*pres. subj.*)
17. we may amuse ourselves
18. asking for
19. he may remember
20. think!

D

Translate into English, paying particular attention to the italicized words:

1. Lucía y Mercedes están *ocupadas* en la cocina.
2. De la ciudad le han traído *puros*.
3. Si le descubren, le fusilarán *sin remedio*.
4. La madre sigue en su *labor*.
5. Las muchachas *disponen* el almuerzo.
6. Se volvió para *saludar* a los de la casa.
7. El gallo *canta* afuera.
8. El teniente quería *registrar* la casa.

VII. SALIRSE CON LA SUYA

A

Translate the words in italics: (13)

1. Doña Isabel *was seated* en el corredor.
2. La madre *will be convinced* por Nolón.
3. Las puertas de su casa *are closed*.
4. Los preparativos *were made* por doña Isabel.
5. El joven *was threatened* por la familia.

B

Reword the following sentences, beginning with the direct object: (26a)

1. Compraron las casas en septiembre.
2. Vieron al abogado en la calle.
3. Llamó a la muchacha para hablarle.
4. Isabel hizo los preparativos de la boda.
5. Un amigo hacía las gestiones necesarias.

C

Reword the following sentences, beginning with the italicized phrase: (26b)

1. La madre de Carmela llegaba *en ese instante*.
2. Los novios se veían *todos los atardeceres*.
3. La moza lloraba *con gran pesadumbre*.
4. La puesta del sol llegaba *con lentitud*.
5. Los jóvenes se encontraron *en el camino*.

D

Translate into English:

1. A mí me parece que la cosa *no tiene remedio.*
2. *El éxito* de Nolón fué completo.
3. Sabel era viuda de *un americano.*
4. Su hijo *piensa* casarse con Carmelina.
5. ¿Por qué le dejas *marcharse* a América?
6. Es cosa que me tiene muy *preocupada.*
7. Pin era hijo único y *buen mozo.*
8. *De todas maneras,* se verán todos los días.
9. Su esposo había gozado *fama* de rico.

VIII. ¡DAMIÁN, VEN!

A

Translate the italicized words: (18a)

1. Es imposible *for him to leave.*
2. Deseamos que *you find your handbag.*
3. Quieren que *you take the afternoon train.*
4. Me pide que *I give him a cigar.*
5. No dudo que *you are from Santiago.*
6. Teme que *she is sick.*
7. No creen que *there is a man in the room.*
8. Me ruegan que *I send him a letter.*
9. Espero que *she sings in Spanish.*
10. Siento que *you cannot sleep.*

B

Use the following expressions in translating the passage given below:

volver a	debajo de	por fin
darse cuenta de	puesto que	en efecto
resultar	de repente	en todas partes
tratar de	por este motivo	a lo lejos

I realized, in fact, that my handbag was *under* the bed, *since* I did not see it on the floor. *Suddenly,* I heard a voice *in the distance. For this reason* I looked *everywhere; it turned out* to be nothing. *Finally I went to bed again* and *tried to* sleep.

C

Translate the italicized words:

1. Le pareció a Juan *that he heard a voice.*
2. Sus amigos creían *that they understood him.*

3. Siento mucho *having to leave* por la mañana.
4. Ellos prometieron *that they would arrive early*.
5. Él recuerda *having been in the hotel*.

D

Translate into English:

1. Los cerros desfilaban lentamente ante mi *vista*.
2. ¿Qué *noticias* ha recibido hoy?
3. Se vistió *en el acto*.
4. *Divisé* el rostro de mi novia.
5. Me gusta el humo del *habano*.
6. Por este *motivo celebro* su venida.
7. Él *se inclinó* cortésmente.
8. Rezó durante *un largo rato*.

IX. EL ENTIERRO

A

Translate the italicized words: (4)

1. El señor Vega *is older than* el desconocido.
2. Ésa es *one of the oldest houses*.
3. Le contó el secreto a *his younger brother*.
4. Estas tazas son *better than* aquéllas.
5. Eso no es *the worst*.

B

Translate the italicized words: (23)

1. Ha comprado más tierra *than he needs*.
2. El hacendado trabaja más *than you think*.
3. Había más sirvientes *than he wanted*.
4. La casa de campo tenía *more than ten rooms*.
5. El comedor es *lower than* la cocina.

C

Translate the words in italics: (7)

1. El desconocido es *as tall as* el Sr. Vega.
2. Aquí hay *as many windows as* en mi casa.
3. Ignacio habla *as much as* Vd.
4. Tiene *as many cows as* Vd. se imagina.
5. *The more* trabaja, *the more* gana.
6. *The more* habló, *the less* comprendí.
7. *The more* tenía, *the more* quería.
8. *The more* miraba al hombre, *the less* le admiraba.

D

Translate:

1. Vd. es *el único* que sabe dónde está la tinaja.
2. —Puedes *retirarte*—dijo el hacendado.
3. —¡Ignacio!—dijo don Andrés, *afectando* naturalidad.
4. Éste es el rincón *preciso* en que está el entierro.
5. No era hombre de escasos *recursos*.
6. Le mostró el otro papel *al instante*.
7. Dividirían *las utilidades* en partes iguales.
8. Como le decía, *se trata de* un secreto.
9. Un hacendado *con fama de* rico podría ser la víctima.
10. Un golpecito le sacó de su *abstracción*.

X. EL LIBRO TALONARIO

A

Translate the italicized words: (14)

1. *He goes about saying that* las calabazas son suyas.
2. El polizonte *was running*.
3. *He was singing along*, cuando volvía a casa.
4. *They continue repeating* que no han robado nada.
5. *He was keeping the seeds* para el año siguiente.

B

Translate into Spanish: (24)

1. He remembered his friend.
2. She married the old man.
3. They must be with him.
4. I am counting on you.
5. She is glad to come.
6. I do not dare speak.
7. He went toward his house.
8. She came upon him.
9. He was about to leave.
10. She fell in love with him.
11. The man started to cry.
12. They notice everything.
13. He stopped talking.
14. We attended the class.

C

Fill the blanks with the correct prepositions and translate: (24)

1. Trató . . . . contestar.
2. Él sirvió . . . . juez.
3. Se quedó . . . . el libro.
4. Nos reíamos . . . . él.
5. Se parece . . . . su madre.
6. Él tardó . . . . llegar.
7. Se pusieron . . . . gritar.
8. Insiste . . . . acompañarle.
9. Gozan . . . . buena salud.
10. Ella se negó . . . . venir.
11. Yo he . . . . probarlo.
12. Se olvidó . . . . llamar.
13. No sirve . . . . nada.
14. Pensaba . . . . mis padres.

D

Translate into English:

1. *El suceso* ocurrió en una huerta junto a la playa.
2. *Intentó recuperar* lo que le habían robado.
3. Se paró para comprar *verduras*.
4. *Enterada* la autoridad, se hicieron investigaciones.
5. Las he *criado* como si fueran mis hijas.
6. Quiso irse, pero *los circunstantes* se lo impidieron.
7. Vd. no podrá probar su *denuncia*.
8. *Efectivamente*, las calabazas eran suyas.

XI. EL TEMPORAL

A

Translate into Spanish: (27)

anxiety	reasonable	perfectly
antiquity	unavoidable	easily
electricity	formidable	fixedly
curiosity	admirable	heavily
characteristic	direction	egotism
heroic	opposition	liberalism
dramatic	protection	heroism
pacific	exception	materialism

B

Translate into Spanish: (27)

impatient	conscience	furious
frequent	difference	delicious
convenient	violence	mysterious
intelligent	influence	tempestuous
memory	contemplate	successive
glory	penetrate	affirmative
fury	separate	attractive
victory	communicate	primitive

C

Translate: (27)

Atlantic	indignation	generosity	indicate	passive
adorable	romanticism	specific	obedient	indifference
precious				

D

Translate into English:

1. —*Vamos*, ¡más brío!—gritaba Chinco.
2. El indio contestó con *una injuria*.
3. *El temporal* había pasado.
4. Tendrían que *tirar* lo que llevaban a bordo.
5. *El patrón* llamó al marinero.

XII. MÁS VALE MAÑA QUE FUERZA

A

Translate the italicized words: (1a)

1. El sargento duerme *with his eyes open*.
2. Acude un mozo con una lámpara en *his hand*.
3. Luis se guarda la cartera *in his pocket*.
4. Estaba durmiendo *with his coat unbuttoned*.
5. *His heart* le palpita con fuerza.

B

Translate the words in italics: (1)

1. *Next year* iremos a Madrid.
2. *Spring came* con nuevas promesas.
3. Conversaron con *Mr. Luis Candelas*.
4. *Psychology* es una rama del saber humano.
5. *Perfumes* son caros.

C

Translate the italicized words: (2)

1. Vd. no sabe *how difficult it is*.
2. *The interesting thing* es que entró sin pagar.
3. *The beautiful* no es siempre útil.
4. Él no sabe *how good she is*.
5. Tendrá dinero, *at least*.
6. Se veían las luces *in the distance*.

D

Translate into English:

1. El viajero recién llegado puede *constituir* un buen negocio.
2. *La diligencia* no lleva muchos pasajeros.
3. Sus *galones* de sargento expresan lo mucho que vale.
4. Somos tratantes en granos *al por mayor*.

5. La guarda como quien *verifica* algo automáticamente.
6. ¿*Cómo que no?*—replica Luis Candelas.
7. En los tres viajes que he *realizado* he visto mucho.

XIII. EL CUADRO DE MURILLO

A

Translate the words in parentheses: (21)

1. Me dijo que (he had left it) en su tienda.
2. No le visité porque (I did not know) donde vivía.
3. (Leave it here)—le dijo el comerciante.
4. (He must have sold it) en doscientos pesos.
5. Entró un caballero a quien (he did not know).
6. (He leaves the shop) a las seis de la tarde.
7. (You must buy it now)—le contestó D. Mateo.
8. El inglés (asked him) cuál era el último precio.
9. (Do you know) que éste es un cuadro de Murillo?
10. (Ask him) que vuelva mañana.

B

Fill in the blanks with the proper form of the verb in parentheses: (21)

(ask for)	1. Ella . . . . un vaso de agua.
(must)	2. Ellos . . . . trabajar para vivir.
(know)	3. Don Mateo no . . . . al inglés.
(leave)	4. El inglés . . . . de la tienda.
(ask)	5. El comerciante . . . . por el Sr. Martínez.
(know)	6. Él . . . . que el cuadro no vale nada.
(leave)	7. Lo . . . . sobre unas sillas.
(must)	8. Dicen que ella . . . . llegar a las cuatro.

C

Translate: (15)

1. I wonder if he will come.
2. What can this be?
3. They are probably merchants.
4. He is probably sick.
5. I wonder where they were going.

D

Translate into English:

1. Tenía mucho tino en la elección de las baratijas de su *comercio*.
2. Ocurrió en los primeros meses del *oficio*.

3. Movió la cabeza como si no *diera crédito a* lo que oía.
4. *Se trataban de* ignorantes en alta voz.
5. Aquí donde Vd. me ve, soy *inteligente* en el ramo.
6. *El extranjero* se presentó al día siguiente.
7. Soñó que *el negocio* le dejaba una fortuna.
8. ¡Cuánto lo *celebro!*—dijo la señora.

XIV. DE CÓMO VENCÍ A UN RIVAL

A

Fill in the blanks with the proper translation of but: *(22)*

1. La conoce, ... no recuerda su nombre.
2. No irán mañana . . . . el domingo.
3. No murió, ... sí quedó lisiado.
4. El gato no era mío . . . . de ella.
5. No le pido que explique, ... que diga lo que pasó.
6. No le diga que venga, . . . espere en la estación.

B

Use por *or* para *as required:* (25)

1. Lo hará . . . . cuatro o cinco duros.
2. Los bizcochos eran . . . . Michito.
3. Salieron . . . . la ciudad de Lima.
4. Iban caminando . . . . la calle.
5. Lo hizo . . . . su novia.

C

Translate the following prepositions:

on account of	under
concerning	after
opposite, in front of	far from

D

Translate into English:

1. El gatito era *un dije.*
2. ¿Qué *significa* este aviso?
3. ¡Ay, *hijo!*, llévame a casa de Adelaida.
4. No tengo *inconveniente*—le contestó.
5. Mi novia *se fijó en* el gato.
6. Ha sido *la desgracia* de toda mi vida.
7. Su *preciosa* dueña lo adornaba todos los días.

XV. UN VIAJE AL OTRO MUNDO

A

Give the augmentatives of: (6)

muchacho	remojo
palabra	señora
casa	grande

B

Translate the following expressions:

on arriving	little by little
concerning	in fact
in most of the cases	usually
on the one hand	to my mind
of course	more than a year ago

C

Fill in the blanks with one adjective each:

1. La Fundación Carnegie invitó a doce periodistas . . . .
2. Llegábamos fatigados y . . . .
3. Hizo declaraciones sobre la política . . . .
4. Teníamos que oír doce himnos . . . .
5. Asistimos a muchas recepciones . . . .
6. Nos metían en una cámara . . . .
7. El público prorrumpió en una . . . . ovación.
8. ¿Cuál es el objeto de ser hombre . . . . ?—le pregunté.
9. Ése fué un . . . . viaje.
10. ¿Qué relación había entre el viaje y la paz . . . .?
11. Vamos a explicarlo en el capítulo . . . .
12. Nuestras lenguas representaban culturas . . . .
13. Los Estados Unidos se han formado de una manera . . . .
14. Se puede fundar un *farm* para la explotación . . . .
15. Esto explica el éxito . . . . del circo Carnegie.
16. Algunos miembros hicieron una excursión . . . .
17. A veces la . . . . ciudad se dividía en bandos.
18. La hospitalidad americana se manifestaba en forma . . . .
19. Uno de los partidarios más . . . . era el belga Landoy.
20. Murió de un modo . . . . en el Yellowstone National Park.

D

Translate into English:

1. Tuvimos que *asistir a* varias recepciones *particulares*.
2. Lo peor era tener que *pronunciar discursos* en inglés.

3. Vieron que, *efectivamente*, hablábamos lenguas diferentes.
4. ¿Qué *finalidad* tenía ese viaje?
5. Conviven de un modo fraternal sin diferencia de *idiomas*.
6. Esto explica *el éxito* del circo Carnegie.
7. Escribían *reclamando* nuestra presencia.
8. *Advertimos* las diferencias que hay entre Europa y América.
9. Fueron invitados a *recorrer* los Estados Unidos.
10. El *auditorio* prorrumpía en una formidable ovación.

XVI. LA PARED

A

Give the first person singular, present indicative, of: (20)

tener	dar	venir
saber	ir	hacer
pertenecer	conocer	incluir
estar	ser	haber
poner	decir	ver

B

Give the third person singular, preterite, of: (20)

conducir	hacer	poder
creer	ser	ir
poner	andar	venir
saber	traer	tener
decir		sentir

C

Give the third person singular, future and conditional, of:

venir	ir
tener	salir
poder	querer
decir	hacer
saber	poner

D

Translate the italicized words: (18d, e)

1. *If they should meet them*, los matarían.
2. *If they were there*, él los hallaría.
3. *If there is time*, vendré a verlos.
4. *If they should come*, le salvarían.
5. Se quedaron inmóviles, *as if they had not seen him*.

E

Translate into English:

1. Los asustados vecinos *experimentaron* gran asombro.
2. Se esperaban a la salida de *la misa mayor.*
3. Las dos casas lindaban por *los corrales.*
4. A veces *se encontraban con* los Rabosas.
5. Sus casas estaban situadas en *distinta* calle.

ABBREVIATIONS

adv.	adverb
art.	article
cond.	conditional
dem.	demonstrative
dim.	diminutive
f.	feminine
fam.	familiar
fut.	future
impfct.	imperfect
ind.	indicative
inf.	infinitive
m.	masculine
obj.	object
p. p.	past participle
pfct.	perfect
pl.	plural
pr.	pronoun
Pr. n.	proper noun
pres.	present
pres. p.	present participle
pret.	preterite
s.	singular
subj.	subjunctive

VOCABULARY

A

a to, at, in, toward, under, from, on, for, by means of, around; *not translated before personal accusative*. — que in order that

Aaah Ah!

la **abadía** abbey

abajo down, below

abandonado, -a abandoned

abandonar to abandon, forsake

abarcar to embrace, comprise

el **abasto** provisions; juez de —s market judge

abierto, -a open, opened, wide open, when open

el **abismo** abyss

la **abnegación** self-denial

el **abogado** lawyer, advocate

abrasado, -a burned

abrazado, -a clinched, grappling

abrazar to embrace

abrigar to harbor

abrir to open

abrirse to open

abrumador, -a overwhelming, crushing

absoluto, -a absolute

absorto, -a amazed, absorbed

la **abstracción** concentration, absent-mindedness

abstraído, -a absorbed

absurdo, -a absurd

el **abuelo** grandfather

la **abundancia** plenty, abundance

abundante abundant

aburrido, -a boring, bored

acá here; por — this way

acabar (con) to end, to put an end to; — de + *inf*. to finish, to have just

acabe *1st and 3rd s. pres. subj. of* acabar finish; ¡—! out with it

la **academia** academy

acalorado, -a inflamed, heated

acaparar to monopolize

acariciar to caress

acaso perhaps

la **acción** action

el **acecho** ambush

el **aceite** olive oil, oil

el **acento** tone

acepillarse to brush oneself

aceptar to accept, take

la **acequia** irrigation ditch

acercarse to approach

acertar con (ie) to find, hit upon

aclarar to explain, clarify

acompañado, -a accompanied

acompañar to accompany

aconsejar to advise, counsel

acordarse (ue) to remember

acostarse (ue) to go to bed

acostumbrar to be accustomed

Acre *Pr. n.* Acre

la **actitud** attitude

activo, -a active

acto: en el — at once

actualmente at the present time

acudir to come, hasten to (up), flock to

acusador, -a accusing

acusar to accuse

157

adaptar to adapt, fit
adecuado, –a adequate
Adelaida *Pr. n.* Adelaide
adelantar to advance
adelante forward, ahead,
come in!
el ademán gesture
además besides
adentro inside
adiós goodbye
la adivina fortune teller
el administrador administrator
admirable admirable
la admiración wonder, astonishment
el admirador admirer
admirar to admire
admitido, –a admitted,
granted
adonde where
adoptar to adopt
adorado, –a adored, beloved
adorar to adore
adornar to adorn
adquirir (ie) to acquire
la adulación adulation, flattery
adulador, –a flattering
el advenedizo stranger, newcomer
advertido, –a warned, on
guard, informed
advertir (ie) to notice
afectar to affect
el afecto affection
el afeitar shaving; navaja de
— razor
la afirmación assertion
afirmar to assert, affirm
afirmativo, –a affirmative
aflojar to loosen
africano, –a African
afuera outside
las afueras outskirts
agarrado, –a grasped
agarrar to seize, grasp

agarrarse a to grasp, seize
la agencia agency; — de matrimonios matrimonial bu-
reau
ágil agile
la agitación agitation, restlessness, disturbance
agitar to stir, agitate
la aglomeración agglomeration
el agosto August
agotado, –a exhausted
agotar to exhaust
agradable agreeable
agradar to please; no me
agrada I don't like
agradecido, –a grateful
agredir to attack
agrícola agricultural
el agricultor agriculturist,
farmer
el agua *f.* water; —s de colores
colored water
el aguardiente brandy
agudo, –a sharp, acute,
pointed
el agüelo grandfather (*dialec-
tical*)
la aguja needle
ahí there
ahogarse to drown
ahora now; — mismo right
now
ahumado, –a smoked, covered
with smoke
el aire air
airoso, –a graceful, lively
aislar to isolate
ajado, –a crumpled
ajamonado, –a buxom, plump
ajustar to settle
al = a + el to the, etc.; al
+ *inf.* upon + *pres. p.*
el ala *f.* wing
alabado, –a praised; i— sea

Dios! God be praised, *may be a form of greeting*

la alabanza praise

Alarcón, Pedro Antonio de (1833-91) *Spanish regional novelist and short story writer. Humorist and a natural story teller. Native of Andalusia.*

alargado, -a elongated, long

alarmante alarming

alarmar to alarm

el alba *f.* dawn

el albañil mason

alborotado, -a excited, disturbed

el alborozo joy, exhilaration

el alcalde mayor

el alcance: dar — a to overtake

alcanzar to succeed

el aldabonazo to knock (*with a knocker*)

la aldea village

el aldeano villager; entre — y señorito half a villager, half a dandy; like a country gentleman

alegrarse de to be glad (of)

alegre cheerful, joyous, merrily

la alegría joy

alejarse to leave, go away

alemán, -a German

el alemán German

la alfombra rug

algo something, somewhat; por — será it must be for some reason

el algodón cotton

alguien someone

algún *apocopated form of* alguno some

alguno some, any, one

la alhaja jewel, treasure

Alí *P·. n.* Ali

la alimaña animal

el alma *f.* soul

la almohada pillow

el almohadón cushion; — de plumas feather cushion

la almoneda antique shop, second-hand shop

el almuerzo lunch; hora del — lunch time

alrededor: a su — around him; — suyo around him; — de around

el altar altar

alterno, -a alternate

alto, -a tall, loud, high; en lo — de the highest part of, the top of; en — on high

las alturas heights, heaven

la alucinación hallucination

alucinado, -a deceived, deluded

alumbrar to light, illuminate

alzar to raise

allá there, over there; — lejos far away

allí there; por — around there

el ama *f.* mistress

la amabilidad kindness

amable pleasant

amablemente in a friendly fashion, pleasantly

amado, -a beloved

el amago threat

amanecer to dawn

el amanecer dawn

amar to love

amarguísimamente most bitterly

amarillento, -a yellowish

amarillo, -a pale, yellow

amarrar to fasten

amasado, -a built
amazónico, -a Amazon
el ambiente atmosphere
ambos, -as both
ambulante traveling, roving
la amenaza threat
amenazar to threaten
América *Pr. n.* America
americano, -a American
el americano American; returned emigrant to America
la amiga friend
el amigo friend
la amiguita little friend; intimate friend
el amo master; *pl.* master and mistress, employers
el amor love, love affair
amoroso, -a amorous, loving
amplio, -a spacious, broad
Amsterdam *Pr. n.* Amsterdam, Holland
el análisis analysis
analítico, -a analytical
la anarquía anarchy
anatómico, -a anatomical
la anciana old woman
anciano, -a old
el anciano old man
ancho, -a wide
Andalucía *Pr. n.* Andalusia, *region occupying the south of Spain*
la andaluza Andalusian woman
andar to walk, be, go; — con paños calientes to beat about the bush; — vivo to keep an eye peeled, to keep a sharp lookout
el andar gait, walk
las andas litter
los Andes Andes; Los — *Pr. n. city in Chile*
Andrés *Pr. n.* Andrew

el ángel angel; — mío darling
el ángulo angle
la angustia anguish
el ánima *f.* ghost, soul
animado, -a lively, animated
el animal animal
el animalito *dim. of* animal little animal, creature
animoso, -a brave, spirited
anoche last night
anochecer to become dark
el anochecer nightfall
anochecido, -a dark; ya — when night had already fallen
anormal abnormal
la ansiedad anxiety, restlessness, anguish
antagónico, -a antagonistic
ante before, facing, at; — todo above all
antemano: de — beforehand
la antena yard arm, lateen yard
los anteojos glasses, spectacles
anterior previous, former, before
antes formerly, rather, before, first; — bien rather; — de before; — de que before
la antigüedad seniority
antiguo, -a ancient, old, former; a la antigua in the old way
Antonio *Pr. n.* Anthony
anudado, -a knotted
anunciar to announce
el anuncio announcement
añadir to add
el año year; a los quince —s at the age of fifteen; — Cristiano Christian Almanac, *an inexpensive yearly publication containing the lives of the Saints*

and a list of religious festivals

apagado, –a muffled, stifled

apagar to extinguish, put out

apagarse to be extinguished, go out

aparecer to appear

aparentemente apparently

apartado, –a out-of-the-way

apartar to put aside, get out of the way, take away

aparte aside

apearse to dismount, get out of

el apellido surname

apenarse to grieve

apenas scarcely; — si scarcely

apergaminado, –a dry and yellow (*like parchment—* pergamino)

el apetito appetite; ¿ buen —, eh? you have a good appetite, haven't you?

apetitoso, –a appetizing

el apio celery

aplaudir to applaud

aplicar to apply; — el oído to listen

el aplomo self-possession, tact

Apolo Pr. n. Apollo

aportar to bring

el apóstol apostle

apoyado, –a resting, supported

apoyar to support

apremiante urgent, pressing

aprender to learn

apresurarse a to hasten

apretar (ie) to clench

aprovechar to profit by, to take advantage of

aproximarse to approach

apuntar to aim

el apuro predicament

aquel, aquella that

aquél, aquélla that one, the former

aquello that; — de that matter of

aquí here; por — this way, around here

el aquilón north wind

la araña spider

arañado, –a scratched

el arañazo scratching

el árbol tree

la arboladura masts and spars

el arco iris rainbow

arder to burn

ardiente ardent, burning

el ardor warmth, burning

la argamasa mortar

argentino, –a Argentine

argüir to argue

argumentar to argue

el arma *f.* weapon

armado, –a armed

el armario wardrobe

la armonía harmony

el aroma fragrance, perfume

aromático, –a aromatic, fragrant

arrancar to tear off, snatch

arrastrar to drag

arrebatar to snatch, tear away

arreglado, –a in order

arreglar to arrange, put into order, settle

arremolinarse to mill about, crowd

arriba above, up; de — upstairs; hacia — upward; lago — up the lake; — de above; de — abajo from top to bottom

arrimar to approach, give

arrogante haughty, spirited

arrojar to throw, throw away, emit, blow

arrugado, –a wrinkled

arrullado, –a lulled

el arte m. or f. art, cunning; bellas —s fine arts

el artículo article, object

la artillería artillery

el artista artist

artístico, –a artistic

Arturo Pr. n. Arthur

asado, –a roast

asaltar to attack

el asalto attack

ascender (ie) to promote, rise, advance

asegurar to assure

asesinar to assassinate, murder

el asesino murderer

así thus, like that, so; si es — if that is so; — como as well as, just like; —, — so, so; fair

Asia Pr. n. Asia

el asiento seat

asistir a to attend

asomar to put out, to stick out

asombrado, –a astonished

el asombro astonishment

el aspa f. beam

el aspecto aspect, appearance

áspero, –a rough

aspirar to aspire

astillado, –a splintered

astuto, –a astute

asumir assume

el asunto business, matter, subject

asustado, –a frightened

asustarse to be frightened

atacar to attack

el atardecer late afternoon, evening

la atención attention

atender (ie) to take care of, attend to

atento, –a courteous, polite

aterrado, –a terrified

Atlixco Pr. n. noted colonial city east of Mexico City

la atmósfera atmosphere; — de electricidad electrical atmosphere

atónito, –a astonished

atontado, –a stupid, silly

el atraco hold-up

atragantarse to choke

atrapar to catch

atrás back, behind, ago; hacia — backwards

atravesar (ie) to cross

atreverse a to dare

el atrevimiento daring; ¡qué —! How bold!

atribuir to attribute

atribulado, –a afflicted

la Audiencia court

el auditorio audience

el aullido howl

aumentar to increase, augment

aun, aún still, yet, even

aunque although, even though

Aurora Pr. n.

Aurorita dim. of Aurora Pr. n. little Aurora

ausente absent, gone

los auspicios auspices

automáticamente automatically

automático, –a automatic

el automóvil automobile

la autora author, perpetrator

la autoridad authority, authorities

autorizar to authorize

el auxilio help, aid

avanzado, –a advanced

avanzar to advance

el **ave** *f.* bird
la **aventura** adventure
  aventurado, –a hazardous
  averiguar to find out, learn
  avícola poultry
el **aviso** notice; **—s del día** classified column
  ¡**ay**! oh, alas
  ayer yesterday
la **ayuda** help, aid
  ayudar to aid, help
el **ayuntamiento** city hall
el **azabache** jet; **color de —** jet black
el **azufre** sulphur
  azul blue
  azulado, –a bluish

B

¡**bah**! bah!
Bahía *Pr. n. important Brazilian seaport*
la **bahía** bay
  bailar to dance
  bajar to go down, come down, take down, lower
  bajarse to get out, descend
el **bajel** vessel
  bajo under, on
  bajo, –a low
la **bala** bale, bullet
el **balcón** balcony
el **Báltico** *Pr. n.* Baltic Sea
la **ballena** whale
la **banalidad** commonplace
el **bananero** banana tree
el **banco** bank
la **banda** side
la **bandada** flock
la **bandeja** tray
la **bandera** flag
el **bandido** bandit, gangster
el **bando** party, faction

la **banqueta** seat
  bañar to bathe
  bañarse to bathe oneself
el **baño** bath
las **baratijas** trinkets, odds and ends
el **bárbaro** barbarian
el **barco** boat; **— de la carga** freight boat; **— de la hora** one-hour boat, express boat
la **barda** brush placed on top of a wall
la **barra** iron bar
la **barranca** ravine
  Barreiro *Pr. n.*
la **barrigona** fatty
  Bartolomé *Pr. n.* Bartholomew
la **base** base
  bastante quite, enough, quite a bit
  bastar to suffice, to be enough
  beatífico, –a beatifically, like a saint
  beber to drink
  beberse to drink, drink down
  Bécquer, Gustavo Adolfo *(1836-1870) Outstanding Spanish romantic poet, author of a volume of* Rimas, *and some short stories*
el **belga** Belgian
la **belleza** beauty
  bellísimo, –a very beautiful
  bello, –a beautiful, fine
  bendito, –a blessed
el **bergantín** brigantine
  Berlín *Pr. n.* Berlin, Germany
  besar to kiss
el **beso** kiss
  bestial bestial

la biblioteca library

bien well, very; está — all right; — que although; o — or else, or rather

la bienvenida welcome

bienvenido welcome

el bigote mustache

el billete ticket; bill, banknote

Billman *Pr. n.*

el bizcochuelo cake

blanco, –a white

el blanco mark, bull's-eye

blando, –a gentle

blanquecino, –a whitish, pale

blanquísimo, –a very white

Blasco Ibáñez, Vicente (*1867-1928*) *Valencian novelist; portrayed vividly regional life of his province; specialized in social novels*

la blusa blouse

la boca mouth

la bocanada puff

la boda wedding

la bodega wine cellar

el boletero ticket agent

el bolsillo pocket

bonachón, –a good-natured

la bonanza fair weather

bondadoso, –a kind

bonito, –a pretty

la boquita little mouth

el borde edge

bordo: a — on board

borrarse to be obliterated

el bosque woods, forest

bostezar to yawn

Boston *Pr. n.*

el botón button

el bramido roar

el brasero brazier

el Brasil *Pr. n.* Brazil

bravío, –a wild, fierce

el bravo fearless man

la bravura fierceness

el brazo arm; sacar en —s to carry out

bregar to struggle

breve brief, short

Breznick *Pr. n.*

Brígida *Pr. n.* Bridget

brillante shining

brillar to shine

brincar to jump

el brío spirit

la brisa breeze

británico, –a British

el broche brooch

la broma joke

la bruja witch

Brujas *Pr. n.* Bruges, city in Belgium

brumoso, –a foggy, hazy

brusco, –a brusque, sudden, rude, rudely

brutal brutal

el bruto brute

bucear to dive, plunge

Budapest *Pr. n.* Budapest, capital of Hungary

buen *apocopated form of* bueno good

bueno, –a good, well, all right; buenos good morning; *see* escapar

el buey ox

el bulto bundle

la burla joke, jest, sport, trick

burlarse (de) to mock, make fun of

burlón, –a mocking

el burro donkey

la busca search

Buscabeatas *Pr. n.*

buscar to seek, look for

busque *1st and 3rd s. pres. subj. of* buscar look for

C

cabales: estar en sus — to be in one's right mind

la caballería horses

el caballero gentleman, sir

el caballo horse; a — on horse-back

el cabello hair

caber to be held, contained, fit into; no cabía duda there was no doubt

la cabeza head

el cable cable

el cabo end

cacarear to cackle

el cacareo cackling

la cachigordeta tubby

el cachivache knicknack

cada each

el cadáver corpse

la cadena chain

el cadete cadet

Cádiz *Pr. n. seaport in S. W. Spain*

caer to fall; — en la cuenta to catch on

caerse to fall down

el café coffee

el cafetal coffee grove

la cafetera coffee pot

caigo *1st s. pres. ind. of* caer I fall (*see* caer)

la caja box

el cajón drawer

el cajoncito little drawer

la calabacera pumpkin vine

el calabacero pumpkin seller

la calabaza pumpkin

la calamidad calamity

calarse to put on

calculado, -a calculated

calcular to calculate, figure, think

la caldera caldron, boiler

calentarse (ie) to warm one-self

la calidad rank, quality

caliente hot

calificar (de) to qualify as, describe as

la calina haze

calmar to calm

la calumnia slander

el calumniador slanderer

calurosamente warmly

callar to remain quiet

la calle street

la calleja alley, narrow street

la cama bed

la cámara room, compartment, chamber

el camarada comrade

Camba, Julio (*b. 1881*) *Contemporary Spanish journalist, author of many sketches of various foreign civilizations*

cambiar to change, exchange, shift

el cambio change, exchange; a — de in exchange for; en — on the other hand

caminar to journey

el camino road, way, highway; — de bound for

la camisa shirt

la campana bell

Campanar *Pr. n. town near Valencia*

el campanario bell tower; *see* subir

campechano, -a simple, un-sophisticated

campesino peasant, farmer

el campo field, country

Campoamor, Ramón de (*1817-1901*) *Post-romantic poet of Spain*

el canalla scoundrel

el canario canary
¡ canastos! the deuce!; ¡ qué
    —! what the deuce!
la canción song
Candelas *Pr. n.*
el candil oil lamp
cano, –a gray
Canoa *Pr. n.*
el canónigo canon
la canonización canonization,
    consecration
cansado, –a tired, weary
el cansancio weariness, fatigue
cantar to sing, crow
la cántara pitcher
el cantarillo small pitcher
la cantidad sum, quantity
la cantina restaurant, tavern
el canto song, crowing
el cañar cane brake
el cañón tier, cannon
el cañuto tube
capaz capable
la capital capital
el capitán captain
el capítulo chapter
el capote cloak
la cara face, look, expression
la carabina fowling piece, rifle
¡caracoles! Gee whiz!
el carácter *pl.* caracteres char-
    acter, temper, disposition,
    characteristic; de mal —
    ill tempered
característico, –a character-
    istic
¡caramba! heavens!; — que
    — gosh, gee
la carátula mask
la cárcel jail, prison
carecer de to lack
la carga freight; barco de la
    — freight boat
cargado, –a loaded

cargar (con) to put on one's
    back
la caricia caress
el cariño affection
cariñoso, –a affectionate
Carlota *Pr. n.* Charlotte
Carmela *Pr. n.*
Carmelina *Pr. n. dim. of*
    Carmela
carmelita Carmelite
Carmen *Pr. n.* an opera by
    Bizet; Nuestra Señora del
    — Our Lady of Carmen
Carnegie *Pr. n.*
caro, –a dear, expensive
el carpintero woodpecker; car-
    penter
el carraspeo sound made by
    clearing the throat
el carrizo grass, reed grass
el carruaje carriage
la carta letter
la cartera wallet, bill fold
el cartón cardboard
la casa house, home; en — at
    home, in the house, with
    us
casado, –a married
el casado the man married, mar-
    ried man
el casamiento marriage
casar to marry off
casarse (con) to get mar-
    ried (to)
el cascabel bell, sleigh bell
la cascada cascade, waterfall;
    torrent, flood
cascar to crack
la cáscara peeling
el caserón large house
casi almost
el caso fact, case
¡cáspita! By George!
Casporra *Pr. n.*
Castilla *Pr. n.* Castile; *Old*

and New Castile occupy the north and central portions of Spain

casto, –a chaste, pure

la casualidad chance

la catástrofe catastrophe

la catedral cathedral

el catedrático professor

la causa cause; a — de because of

causar to cause, produce

Cauvin *Pr. n.*

cavar to dig

la cavilación thought, pondering

cayó *3rd s. pret. of* caer fell

ceder to yield, give in

la ceiba silk-cotton tree, *an American tropical tree*

la ceja eyebrow

la celada snare, ambush

celebrar to solemnize; to be glad of

célebre celebrated, famous

celestial celestial, heavenly

los celos jealousy

celoso, –a jealous

el cementerio cemetery

la cena supper

centelleante flashing

centígrado, a centigrade

el ceño frown, brow

la cera wax

cerca nearby; — de near

cercano, –a near, nearby

el cerdo pig

el cerebro brain

cerrado, –a closed, locked, when closed

la cerradura lock

cerrar (ie) to close, shut

el cerro hill

el cerrojo latch

la cicatriz scar

ciego, –a blind

cielín darling, honey

el cielo sky, heaven

cien *short form of* ciento one hundred

cierto, –a a certain, certain, true; — que to be sure

la cigarra locust

el cigarrillo cigarette

el cigarro cigar, cigarette; — puro cigar

cinco five

cincuenta fifty

la cintura waist

el cinturón belt

el circo circus

el círculo club

la circunstancia circumstance

los circunstantes bystanders

la cita appointment, date

citar to cite

la ciudad city

el ciudadano citizen

civil civil

la civilización civilization

claramente clearly

claro, –a clear; — está of course; las cosas —as let's clear up things; — que of course

la clase kind, manner, class

la clasificación classification

clasificado, –a classified

clasificar to classify

clavar to fix

el clavo nail

el club club

cobarde cowardly

cobrar to gather, collect

el cobre copper; color de — copper colored

cobrizo, -a copper colored

la cocina kitchen

el cock-tail cocktail

el coche coach
la codicia greed, covetousness
codiciado, –a coveted
codicioso, –a greedy
el codo elbow
el cofre coffer, box
coger to seize, take, catch
lo cogido what has been taken, captured
la cola tail
la cólera anger, rage
colérico, –a angry
colgar (ue) to hang
colocado, –a placed
colocar to place, put
el coloquio conversation
el color color
la coloradilla rosy
el colorido coloring
la columna column
el collar necklace
el collarcito little collar
la comadre friend
la comadrita *dim. of* comadre my dear friend
el comandante major
el comedor dining room
comentar to comment (on), remark
comenzar (ie) to begin
comer to eat, dine
el comerciante merchant
el comercio business, trade, commerce
comerse to eat, eat up
cómico, –a humorous
la comida dinner, meal; a la hora de la — at dinner time
comido, –a eaten; — de polilla motheaten
la comisión commission
como as, since, as if, as for; like
¡cómo! what!

¿cómo? how? what?; ¿— es? what does she look like? ¿— que no? of course, certainly, what do you mean, no!
la comodidad convenience, comfort
cómodo, –a comfortable
compacto, –a compact
el compadre friend
la compañera companion; — de viaje traveling companion
el compañero companion, associate; — de negocios business associate; — de viaje traveling companion
el compatriota compatriot, fellow countryman
complacer to please
completamente completely
completo, –a complete; por — completely
complicado, –a complicated
la compra purchase
el comprador buyer, purchaser
comprar to buy
comprender to understand, realize
la comprobación comparison, proof
comprobar (ue) to verify, prove
comprobatorio, –a attesting, verifying
el compromiso predicament, difficulty, obligation
la comunicación message, communication
comunicarse to communicate
con with, of, by, to, toward
concebir (i) to conceive, understand, comprehend, acquire
conceder to grant

concentrarse to concentrate
concertar (ie) to set
la conciencia conscience
concluir to end, finish
concluyó *3rd s. pret. of* concluir ended
concreto, -a concrete
el condenado damned soul
condenar to condemn
la condesa countess
la condición condition, position, quality
conducir to take, lead
la conducta conduct
conferir (ie) to confer
confesar (ie) to confess, admit
la confesión confession
la confianza confidence
confianzudo, -a intimate, familiar
el confín limit, boundary
confluir to flow together, to meet
confluyeron *3rd pl. pret. of* confluir met
la conformidad conformity
confundido, -a confused, embarrassed
el congreso congress
la conjetura conjecture
conmigo with me
conmovido, -a touched, moved
conocer to know, meet, become acquainted with, recognize; se conoce que it is apparent
conocidísimo, -a very well known
conocido, -a well known
el conocimiento consciousness, knowledge
conozco *see* conocer

conseguir (i) to get, succeed in
consentir (ie) to permit
el conserje janitor, doorman
considerable considerable, substantial
considerar to consider
consistir (en) to consist (of)
consolar (ue) to console
constante constant
constituido, -a constituted
constituir to constitute, make
la construcción construction
construir to construct, build
el cónsul consul
la consulta consultation
el contacto contact
contar (ue) to count, relate, tell; — con to count on
la contemplación contemplation
contemplar to contemplate, look at, behold
contemporáneo, -a contemporary
contener to hold
contentar to content, satisfy
contento, -a satisfied, happy
el contento satisfaction
el contertulio member of a social circle
la contestación answer
contestar to answer
contigo with you, toward you
continuar to continue, remain
contra against
la contrariedad vexation
la contribución tax
contuve *1st s. pret. of* contener I held
la convalescencia convalescence
convencer to convince
convencido, -a convinced, with conviction

el convencimiento conviction;
tener el — de to be con-
vinced

la conveniencia advantage, ad-
vantageousness, convenience
convenir to agree

el convento monastery, convent
convenza *1st and 3rd s. pres.
sub. of* convencer con-
vince

la conversación conversation
conversar to converse, talk

la convicción conviction
convidar to invite

el convite invitation
convivir to live together

el coñac cognac

la copa crown, top, glass

la copia copy

la copita small glass

la coquetería coquetry, affectation

el corazón heart; hombre de
— courageous *or* generous
man; el — es el — one's
heart is one's own, one has
no control over one's heart

el cordero lamb
cordial cordial
Córdoba *Pr. n. city in Andalusia, formerly the capital
of the Mohammedan em-
pire in the West*

el coriano Corian, native of
Coro
Coro *Pr. n. a Venezuelan
city*

el coro choir

el coronel colonel

el corral back yard

la corrección accuracy
correctísimo, –a very proper
correcto, –a exact, courteous,
proper, correct

el corredor corridor, gallery,
veranda

el correo mail
correr to run, blow
corresponder to repay
correspondido, –a requited,
repaid
correspondiente corresponding
cortante cutting, sharp
cortar to cut, cut off, cut
short; — con los dientes
to bite off

la corte court
Cortesi *Pr. n.*

la cortesía courtesy
cortésmente courteously

la cortina curtain

la cosa thing, affair, business
matter; todas las —s
everything; — de about;
¡— del diablo! What the
deuce!

la cosecha crop, harvest, result
coser to sew; máquina de —
sewing machine

la cosita little thing

el cosquilleo tickling, urge;
que le entre el — del ma-
trimonio that he should be
concerned with the idea of
marriage

la costa coast

el costado side
costar (ue) to cost; —
(mucho) trabajo to be
(very) difficult

la Costilla *Pr. n.*

la costilla chop, cutlet

la costumbre custom, habit; de
— usual
Cracovia *Pr. n.* Cracow, Po-
land
crear to create
crecer to grow

el crédito belief, credence; **dar — a** to believe

creer to believe, think; **me creo con el derecho para** I believe I have the right to

creyendo *pres. p. of creer* believing

creyeran *3rd pl. impfct. subj. of* creer believed, thought

la criada maid

criado, –a raised, brought up

el criado servant

criar to raise

criarse to be brought up

la criatura being, creature, child

el criminal criminal

la crisis crisis; **una — de ésas** one of those crises

el cristal crystal, window pane

cristalizado, –a crystallized

cristiano, –a Christian

crítico, –a critical

el crítico critic

el cronista chronicler

la crucecita little cross

cruel cruel

la crueldad cruelty

el crujido creaking, crash

cruzar to cross

cruzarse to cross

cuadrado, –a square

el cuadro picture, painting

cuajado, –a adorned

¿cuál? what?

el cual, la cual, los cuales, las cuales which, who

lo cual which

la cualidad quality

cualquier any

cuando when

cuanto, –a all the . . . that; as many . . . as; **unos —s** several

cuanto all that, as much as; **— antes** as soon as possible; **en —** as soon as; **en — a** as for

¿cuánto, –a? how much, what?

cuarenta forty

el cuarto room, quarter

cuatro four

la cubierta deck

cubierto, –a covered

cubrir to cover

cuclillas: ponerse en — to squat down

la cuchara spoon

el cuello collar, neck

la cuenta account; *see* caer; **darse —** to realize

la cuerda rope

el cuerno horn

el cuero leather; **— de cerdo** pigskin

el cuerpecito little body

el cuerpo body, corps

la cuesta slope

la cuestión question, matter, dispute

la cueva cave

el cuidado care; **tener —** to be careful

cuidar (de) to care for, take care of

la culebra snake

la culpa fault, blame; **¿es mía la —?** am I to blame?; **tener la —** to be to blame

el culpable culprit, the one to blame

el cultivo cultivation

la cultura culture

cumplir to complete, carry out

el cura priest

la curiosidad curiosity

el curioso inquisitive person

el **curso** course
el **cutis** (*m. or f.*) skin
cuyo, -a whose

CH

chamuscado, -a singed, scorched
la **chaqueta** jacket, coat
el **charco** puddle, pool
la **charla** talking, idle conversation
la **charlatanería** humbug
Chartres *Pr. n.* Chartres, France, *important cultural center in the Middle Ages*
chartreuse chartreuse, *a cordial*
el **chascarrillo** anecdote
chasquear to click
la **chica** girl
el **chico** boy, my friend, "old man," "kid"
el **chicote** end of a rope, whip
chileno, -a Chilean
la **chimenea** fireplace
Chinco *Pr. n.*
Chinquito *Pr. n. dim. of* **Chinco**
el **chiquitín** little fellow, child
la **chispa** spark
el **chiste** joke
el **chubasco** squall

D

D. *abbreviation for* **don**
la **dama** lady
Damián *Pr. n.*
Daniel *Pr. n.*
dar to give, grant, utter, attach, show; — **alcance a** to overtake; — **un aldabonazo** to knock (with a knocker); — **de beber** to give a drink; — **clases** to teach classes; —**se cuenta de** to realize; **empecé a** — **diente con diente** my teeth began to chatter; — **en** to hit, hit upon; — **entrada a** to admit; — **una patada** to stamp one's foot; — **pecho** to pay tribute; — **por** to consider as; — **al traste con** to ruin; — **vueltas** to turn
de of, from, in, with, for, to, as, by, about, than
dé *1st and 3rd s. pres. subj. of* **dar** give
debajo de beneath, below, under
deber to owe, ought, must, have to; — **de** must, probably, must have
débil weak
decente respectable
decididamente decidedly
decidir to decide, to make one decide
decidirse a to decide
decir to say, tell, call, read, mention, speak; **se decía** it was said; **al** — **de los campesinos** according to what the peasants said; — **entre dientes** to mutter, mumble; — **que no** to say no; **como quien dice** as they say, as it were, so to speak; **a** — **verdad** to tell you the truth; — **entre sí** to say to oneself
la **declaración** proposal, statement
declarar to declare
la **decoración** decoration
el **decoro** self-respect, decorum

el dedo finger
deducir to deduce
dedujo *3rd s. pret. of* deducir he deduced
defender (ie) to defend
definitivo, –a definitive
degenerar to degenerate
la dehesa pasture
dejar to leave, let, allow; no le dejo a sol ni a sombra I don't let him out of my sight; —se de to stop; déjate de remilgos stop your affectation
del *contraction of* de + el of the
delante before; por — before us (him), ahead; — de before, in front of
delatar to denounce
delator, –a telltale
la delegación police station
Delgado, Rafael (*1853-1914*) *Mexican novelist and author of short stories; noted for descriptions of middle-class life and for his power to create characters*
la delicia delight
demás other, rest of the; los — others, other people
demasiado too, too much
el demonche little devil, devilish
el demonio devil, demon
demostrar (ue) to show
denso, –a dense, thick
la dentadura teeth
dentro inside; por — on the inside, in the interior, inside; — de within, in, inside of
la denuncia accusation
denunciar to accuse, report
el departamento compartment

el dependiente clerk
depositar to deposit, put
el depósito storage
el derecho right, dues, fee, duty, law
derrengado, –a crooked, crippled
derribar to tear down
la derrota rout, defeat
desabrochado, –a unbuttoned
desabrochar to unbutton
desafiar to defy
desagradecido, –a ungrateful
el desagravio apology
desalmado, –a heartless, merciless
desaparecer to disappear
desaparecido, –a disappeared, who had disappeared
el desarrollo development
desatar to untie
el desayuno breakfast
la desazón uneasiness
desbancar to break, defeat
el descanso rest
descender to descend, come down
descomunal unusually large
desconcertado, –a disconcerted
desconfiado, –a suspicious
la desconfianza distrust
desconocer not to know
desconocido, –a strange
el desconocido stranger
desconsolado, –a sorrowful
describir to describe
descubierto *p. p. of* descubrir discovered
el descubrimiento discovery
descubrir to discover
descuidado, –a careless

descuidarse to be careless, negligent

el descuido negligence

desde from, since

desdentado, -a toothless

desdichado, -a unhappy, unfortunate

desdoblar to unfold

deseado, -a desired

desear to want, wish, desire

desencajado, -a upset

desengañarse to be undeceived; desengáñate do not be deceived

desenojar to appease

deseoso, -a desirous

desertar to desert

el desertor deserter

la desesperación desperation, despair

desesperado, -a desperate, in despair

desesperante maddening

desfallecer to faint

desfilar to pass by

la desgracia misfortune

desgraciadamente unfortunately

desgraciado, -a unhappy, unfortunate

desgranar to shell

deshacerse de to get rid of

deshecho, -a broken, violent; estoy con el corazón — my heart is broken

el designio design, plan

desigual uneven

desinteresado, -a disinterested

deslumbrado, -a dazzled

desmayado, -a fainting

desorbitarse to bulge

despacio slowly

el despacho study, office

desparramarse to scatter

despecho: a — de in spite of

despedir (i) to dismiss, emit

despedirse (i) to take leave

el despejo ease, grace

despertar (ie) to wake, arouse

despertarse (ie) to wake up

despierto, -a awake, wide awake

desplegar (ie) to open

despreciar to scorn

el desprecio scorn

desprender to loosen

desprenderse to get rid of

despreocupado, -a absentminded

después afterwards, later, then; poco — shortly afterwards; — de after

destemplado, -a out of tune

el destino position

destronar to dethrone

destrozado, -a smashed

destrozar to destroy, smash

la destrucción destruction

destruir to destroy

desvelado, -a sleepless

la desventaja disadvantage

desviar to divert

desvivirse to try anxiously, make great efforts

el detalle detail

detenerse to stop

el detenimiento care

deteriorado, -a deteriorated, impaired

detrás behind; — de behind; por — behind

se detuvo 3rd s. pret. of detenerse stopped

devolver (ue) to return

di s. imp. of decir tell

di 1st s. pret. of dar I gave

el **día** day; **al** — per day; **al** — **siguiente** on the following day; **buenos** —s good morning; — **a** — day by day, from day to day; **de un** — **a otro** from one day to the next; **hoy** — nowadays; **ocho** —s a week; **a los ocho** —s a week later; **al otro** — the next day; **todos los** —s every day; **el** — **menos pensado** any day, when least expected

el **diablo** devil; ¡**qué** —s! What the deuce!

la **diablura** deviltry, mischief

diabólico, -a diabolical, devilish

el **diálogo** dialogue

el **diamante** diamond

diario, -a daily, a day

Díaz Garcés, Joaquín (d. 1921) Chilean; author of satirical and humorous short stories

el **dibujo** design, drawing

el **dictado** appellation, nickname

la **dicha** bliss, happiness, delight

dicho p. p. of **decir** said, told

dieciséis sixteen

Diego Pr. n. James

el **diente** tooth; **decir entre** —s to mumble, mutter

dieron 3rd pl. pret. of **dar** gave

diestro, -a dexterous, skillful

diez ten; **son las** — it is ten o'clock; **a las** — at ten o'clock, **las** — **y media** half-past ten

la **diferencia** difference

diferente different

difícil difficult, hard

difunto, -a deceased

diga 1st and 3rd s. pres. subj. of **decir** says, tells

digan 3rd pl. pres. subj. of **decir** say, tell; **que lo** — **estas lágrimas** let these tears speak for me

digno, -a worthy

digo 1st s. pres. ind. of **decir** I say, tell

el **dije** jewel, cute little thing

dijeras 2nd s. impfct. subj. of **decir** you told

dijeron 3rd pl. pret. of **decir** they said, told

dijo 3rd s. pret. of **decir** said, told

la **diligencia** stage coach, diligence

diminuto, -a tiny

dimos 1st pl. pret. of **dar** we gave

el **dinero** money

Dios God; — **mío** Heavens!; **por** — For heaven's sake!

el **dios** god

diré 1st s. future of **decir** I shall say, tell

la **dirección** address, direction; **con** — **a** toward, in the direction of; **en** — **a** toward

directo, -a direct

la **directora** principal (of a school)

diría 1st and 3rd s. cond. of **decir** would say, tell

dirigido, -a directed, addressed

dirigir to direct, address. turn; — **la mirada** to glance dirigirse to go, address

la discordia discord

discurrir to reason

el discurso discourse, speech

disecado, –a stuffed

disecar to stuff

el disfraz disguise; *pl.* disfraces

disfrazado, –a disguised

el disgusto annoyance, displeasure, sorrow

el disimulo pretense

disperso, –a dispersed

disponer to dispose, say, to get ready; de que disponíamos at our command

disponerse to get ready

disponga *1st and 3rd pres. subj. of* disponer say, dispose

dispuesto, –a ready; minded

la disputa argument

la distancia distance

diste *2nd s. pret. of* dar you gave

distinguido, –a distinguished

distinto, –a distinct, different

la distracción inattention

distraído, –a inattentive, absent-minded

diverso, –a diversified

divertirse (ie) to have a good time

dividir to divide

divisar to discern, make out, perceive

doblado, –a folded

doblar to go around

doce twelve; a las — at twelve o'clock

el doctor doctor

el documentito little document

el documento document

el dólar dollar

el dolor grief

el domicilio domicile, home

dominado, –a overcome, controlled

dominar to overcome, control

el domingo Sunday

don *untranslatable title used before a man's given name*

donairoso, –a graceful

la doncella maid

donde where, a place where; en — where; por — through which

¿dónde? where?

doña *untranslatable title used before a woman's given name*

dormido, –a asleep

dormir (ue) to sleep; — a pierna suelta to sleep soundly

dormirse (ue) to fall asleep

dormitar to doze

el dormitorio bedroom

dorsal back

dos two; los — both

doscientos, –as two hundred

el dragón dragon

la duda doubt, question; sin — doubtless

dudar (de) to doubt

la dueña owner, mistress

el dueño owner, proprietor

dulce sweet

dulcemente sweetly

la duquesa duchess

durante during

durar to last

el durmiente sleeper, sleeping man

duro, –a hard

el duro dollar; *Spanish coin valued at five pesetas*

E

e and

el eco echo

echar to throw; —le por delante to send him ahead; — abajo to ruin, demolish; —se a to begin

la edad age; — Media Middle Ages

la educación breeding, manners, civility

educado: la mal educada ill-bred woman; el mal — ill-bred man

efectivamente actually, in fact

el efecto effect; en — in fact, really

efectuar to effect, carry out

el efluvio emanation, effluvium

egoísta egotistical, selfish

¿eh? eh? isn't that so?

ejecutar to execute, perform

el ejemplar specimen, copy

el ejemplo example; por — for example

el ejército army

el *m. art.* the; *sometimes used to replace the possessive adjective*

el *dem. pr.* the one, he that

el que the one that, the one who, the fact that

él he, him, it

la elección choice

la electricidad electricity

elegante elegant

Elías *Pr. n.*

eliminar to eliminate

ella she, her, it

ello it

ellos they, them

embalsamar to perfume

embarazoso, –a embarrassing

la embarcación boat

embargo: sin — nevertheless

la embaucadora impostor

la emoción emotion

empañar to blur

el empedrado paved area, pavement

el empellón push, shove

empezar (ie) to begin

el empleado employee

el empleo employment, position

la empresa undertaking, enterprise

empujado, –a pushed

empuñar to grasp

en in, on, of, into, at, with, to, for

enamorado, –a in love

enamorarse to fall in love

el encaje lace

encantado, –a charmed

encantador, –a charming

encantar to delight

encararse (con) to face

encargado, –a de in charge of

encargarse (de) to take charge (of)

encender (ie) to light

encendido, –a lighted

encerrado, –a locked, inclosed

encerrar (ie) to lock up, inclose, hold

encima on top; with him; — de above

encogerse de hombros to shrug one's shoulders

encomendar (ie) to commit, intrust, charge, commend

encontrar (ue) to find

encontrarse (ue) to be, find oneself, meet; — con to meet

encresparse to become rough

enderezar to straighten

enemigo, –a enemy

el enemigo enemy

la energía power, force, energy, strength; con — energetically

enérgico, –a powerful, vigorous, energetic

la enfermedad illness, sickness

enfermo, –a ill, sick

enflaquecer to grow thin

enfrente de opposite

enfurecido, –a infuriated

engañado, –a deceived, fooled

engañar to deceive

el engaño deceit

engullir to devour

el enigma enigma, puzzle

el enjambre swarm

enjugar to wipe, dry

enorme enormous

Enrique *Pr. n.* Henry

la ensalada salad

entablar to start, strike up

entender (ie) to understand

entendido, –a expert

enterado, –a informed

enteramente completely

entero, –a whole, entire

la entidad entity, organization

el entierro buried treasure; burial

entonces then; por — at that time

entornar to close partially

la entrada entrance

entrar (en) to enter, come in; entremos en materia let's get down to business

entre between, among, to; — . . . y . . . half . . ., half . . . ; por — between

el entrecejo space between the eyebrows; fruncir el — to frown

entregar to hand, give up

entregarse to surrender

entretanto meanwhile

la entrevista interview

entusiasmarse to grow enthusiastic

el entusiasmo enthusiasm

entusiasta enthusiastic

enviar to send

la envidia envy

envolver (ue) to wrap up, envelop

envuelto, –a wrapped up

la época epoch, period, time

el equilibrio balance, equilibrium

el equipaje baggage

equivocarse to be mistaken

era *1st and 3rd s. impfct. ind. of* ser was; — que the fact was that, *may be left untranslated*

eran *3rd pl. impfct. ind. of* ser were

eres *2nd s. pres. ind. of* ser you are, thou art

erizarse to stand on end

es *3rd s. pres. ind. of* ser is, are; — que the fact is that

escalar to climb, scale, enter stealthily

el escalofrío chill, creeps

la escama scale

el escándalo noise, disturbance; dar — to create a commotion

la escapada escapade

escapar to run away, escape

escaparse to escape, get away; de buena me escapé I was lucky to get out of this

escaso, –a scant, meager

la escena scene

la esclavitud slavery

el esclavo slave

escoger to choose

la escolta escort, guard

el escombro debris

escondido, –a hidden; muy — well hidden

la escopeta shot gun

el escopetazo gun shot

escribir to write; máquina de — typewriter

el escritorio writing desk

el escritorio-cómoda combination desk and bureau

escrutador, –a scrutinizing, searching

escuchar to listen to

la escuela school

ese, –a pl. esos, –as that, those

ése, –a that one, he, she, that fellow, that hussy

la esencia perfume

esencial essential

esférico, –a spherical, round

el esfuerzo effort

eso that; — de that matter of; — sí to be sure; por — therefore

el espacio space, period

la espalda back; de —s backwards

espantar to frighten

espantoso, –a frightful

España Pr. n. Spain

español Spanish

el español Spaniard

Españolito pseudonym of Constantino Suárez (b.

1890) novelist and essayist; native of Asturias

esparcir to scatter

el esparto esparto, a kind of grass

la especialidad specialty

especialmente especially

la especie kind, species

el espectador spectator

la esperanza hope

esperar to wait (for), expect, hope, await

la espesura thicket

Espina, Antonio (b. 1894) one of the leading authors of contemporary Spanish literature

la espina thorn; — dorsal backbone

el espino hawthorn

la espiral spiral

el espíritu spirit, soul

el esplendor splendor, magnificence

los esponsales betrothal; celebrar — to become engaged

la esposa wife

el esposo husband

los esposos husband and wife

Espronceda, José de (1808-1842) Spanish romantic poet; noted especially for his canciones

la espuma foam

la esquela note

la esquina corner

establecer to establish, create

el establecimiento establishment, institution

la estaca pole

la estación station

el estado state

los Estados Unidos Pr. n. the United States

la estafa swindle
estallar to burst
el estampido crash, detonation
el estante shelf
estar to be; to seem, appear; to remain; estamos a diez today is the tenth
este, –a this, *pl.* these; of this city
éste, –a this one, the latter
Esteban *Pr. n.* Stephen
la estilográfica fountain pen
estimadísimo, –a highly esteemed
esto this; ni — not even this much; en — at this point; — de this matter of; a todo — with all this; — es that is
estoy *1st s. pres. ind. of* estar I am
estrechar to clasp; — manos to shake hands
estremecerse to tremble, shudder
el estrépito din, noise
estropear to spoil, tear
la estupefacción stupefaction
estupendo, –a stupendous, tremendous
estuvo *3rd s. pret. of* estar was
Europa *Pr. n.* Europe
europeo, –a European
el europeo European
evidentemente evidently
evitar to avoid
exactamente exactly
exacto, –a exact
la exaltación exaltation
el examen examination
examinar to examine
exasperar to exasperate
la excavación excavation, hollow

exceder to exceed, surpass
excelente excellent
la excepción exception
excepto except
exclamar to exclaim
la exclusión exclusion
la excursión excursion
excusado, –a needless
exhausto, –a exhausted
exhibir to show, exhibit
exigir to demand, require
exija *1st and 3rd s. pres. subj. of* exigir require, demand
exijo *1st s. pres. ind. of* exigir I demand, require
la existencia existence
existente existing
existir to exist
el éxito success
la expansión expansion
la expedición issuance
expensas: a — de at the expense of
experimentar to experience
experto, –a expert
la explicación explanation
explicar to explain
explique *3rd s. pres. ind. of* explicar to explain
la explotación exploitation
explotar to exploit, work
exponer to explain, remark
expresar to express
la expresión expression
expresivo, –a expressive
expulsar to expel
expuso *3rd s. pret. of* exponer remarked, explained
extender (ie) to extend, hold out
la extensión space, area, extension, distance
extenso, –a spacious

exterminar to exterminate, annihilate

extinguirse to go out (*said of a light*), be quenched

extraer to extract, take out

el extranjero foreigner

la extrañeza wonder, astonishment

extraño, –a strange

extraordinario, –a extraordinary

Extremadura *Pr. n.* Extremadura, *province of S. W. Spain*

extremarse to increase, outdo oneself

la extremidad extremity, limb

el extremo end

F

la fábrica factory

la fabricación manufacture

la facilidad ease

fácilmente easy, easily

la factura invoice

la falda skirt

falso, –a false, imitation, counterfeit, artificial

la falta error, mistake, fault, lack

faltar to be missing, lacking, to lack

la fama reputation; con — de rico with the reputation of being rich

la familia family; en — like one family

famoso, –a famous

la fantasía fancy

fantasmagórico, –a phantasmagoric

el fardo bundle; — de pasto baled hay

el farol lantern

el farolillo *dim. of* farol small lantern

la fatiga trial, hardship, difficulty, hard work, weariness, fatigue

fatigado, –a fatigued, tired

el favor favor

favorecer to favor

la fecha date

federal federal

fehaciente authentic, trustworthy

felicitar to congratulate

feliz *pl.* felices happy, lucky

feroz fierce

el ferrocarril railway

la fiebre fever

fiel faithful

la fiereza cruelty, ferocity

fiero, –a cruel

la fiesta party, festival, feast

la figura figure

figurar to figure

figurarse to imagine

fijamente fixedly

fijar to fix

fijarse to notice

fijo, –a fixed

el filo edge

filtrarse to filter

fill (*Valencian*) son

el fin end; por — finally; al — finally; en — in short

la finalidad purpose

fingir to pretend

fino, –a courteous, polished, nice

la finura delicacy, keenness

la firma signature

firme firm

la firmeza firmness

físicamente physically

físico, –a physical

flaco, –a thin, weak, poor, slender

el **flaco** weakness, weak point
flamante brand new
flamenco, -a Flemish
la **flecha** arrow
flexible supple, willowy
flojo, -a dangling
la **flor** flower, blossom
Florencia *Pr. n.* Florence, Italy
fluir to flow
el **foco** focus, focal point
la **fonda** inn
el **fondo** bottom, depths, back; **en el —** at the bottom, at heart
fonéticamente phonetically
el **forastero** stranger
la **forma** form
formar to form
formidable formidable, tremendous
la **fortuna** fortune
forzar to break open
el **fósforo** match
el **fotógrafo** photographer
frágil fragile
el **fragmento** fragment
francés, -a French
el **francés** Frenchman
la **franqueza** frankness; **con —** frankly; **con toda —** very frankly
el **frasco** flask, bottle
la **frase** sentence
fraternal fraternal, brotherly
fraternizar to fraternize
frecuentar to frequent
frecuente frequent
frecuentemente frequently
frenéticamente frantically
la **frente** forehead; **a su —** before him; **— a** opposite, before; **— a —** face to face
la **fresca: decirle dos o tres —s** to tell her where to get

off, to put her in her place
fresco, -a cool, fresh
el **fresco** cool air
la **frescura** coolness
fríamente coldly
frigorífico, -a refrigerated
frío, -a cold
la **frontera** frontier
frotar to rub
fruncir to pucker, press together; **— el entrecejo** to frown
la **fruta** fruit
el **fruto** fruit
fué *3rd s. pret. of* ir *and* ser went, was
se **fué** *3rd s. pret. of* irse left, went away
el **fuego** fire
Fuencarral *Pr. n. a small town north of Madrid*
la **fuente** source, fountain, spring
fuera outside, out; **— de** out of; **por —** on the outside, outside
fuera *1st and 3rd s. impfct. subj. of* ser *and* ir was, were, went, belonged
fuerte strong, powerful, hard, loud, heavy
la **fuerza** strength, force; **con —** violently, deeply
fuese *1st and 3rd s. impfct. subj. of* ser *and* ir was, were, went, go
el **fugitivo** fugitive
Fulano So and So
fumar to smoke
la **fundación** foundation
el **fundador** founder
fundar to found
la **fundición** foundry

la furia rage, anger, fury
furioso, -a furious
fusilar to shoot

G

la gala: hacer — de to show
off
galante polished, courtly, attentive
la galantería gallantry, chivalry
el galón stripe
gallardo, -a gallant, genteel
la galleta cracker, cookie
la gallina hen
el gallo rooster
la gana desire
ganar to earn
ganarse la vida to earn one's
living
la garantía guarantee
la garganta throat
Garrido Merino, Edgardo
*contemporary Chilean author of novels and short
stories*
la gasa gauze
gastar to spend, waste; —
tantos bríos to be so
cocky, to put on such airs
gatear to crawl
el gatito kitten
el gato cat
el gemelo cuff link
gemir (i) to groan, moan
la generación generation; de
— en — from generation
to generation
general general; por lo —
generally, as a general rule
General Cámara *Pr. n.*
generalmente generally
el género kind
la generosidad generosity
el genio disposition

la gente people
gentil graceful
la geografía geography
la gestión negotiation, effort
el gesto gesture, grimace, face
geyser (*English*) geyser
gigantesco, -a gigantic
gimió *see* gemir
gin (*English*) gin
girar to turn, roll; — los
ojos look around
el gobierno government
la golfa little rascal
el golfo gulf
la golondrina swallow
el golpe blow; de — suddenly
golpear to pound, beat, peck
at, tap
el golpecito tap
gordo, -a fat, large
la gota drop
gótico, -a Gothic
gozar (de) to enjoy
el gozne hinge
la gracia pleasure; me hizo —
it amused me; maldita la
— que me hacía I didn't
like it at all, I didn't think
it was even funny
gracias thank you
el grado degree, rank
la gramola phonograph
gran *shortened form of*
grande large, big, great
Granada *Pr. n. city in Andalusia; last of Moorish
cities to surrender to the
Christians; here is located
the famous Alhambra*
grande large, big
la granja farm
el grano grain
el granuja street urchin, rogue
gratis free of charge
grato, -a pleasant

grave serious, grave

Gregorio *Pr. n.* Gregory

el griego Greek

gris gray

gritar to shout, cry out

el grito cry

gruñir to growl

el grupo group

guapo, –a handsome, pretty; como — as for beauty

guardar to keep

guardarse to put away

la guardia guard; — Civil Civil Guard, *a rural police organization;* —s Provinciales Provincial Guards

el guardia guard

la guerra war, warfare

la guinda cherry

el guiño wink

guisar to cook

gustar to be pleasing; me gustabas muchísimo I liked you very much; como Vd. guste as you please

el gusto pleasure, taste; tengo mucho — en conocerle I am very pleased to meet (have met) you

Gutiérrez *Pr. n.*

H

ha *3rd s. pres. ind. of* haber has, have

el habano cigar

haber to have, to be (*impersonal*); — de + *inf.* to be to, to have to, must; ése había de ser it must be he; ¡quién lo había de creer! who would have believed it; ha de ser it must be

la habilidad ability, accomplishment

habilísimo, –a most able

la habitación room

habituarse a to become accustomed to

hablar to speak, talk

habrá *3rd s. fut. ind. of* haber there will be, will be

el hacendado landholder

hacer to do, make, pay (a visit), pack (a suitcase); cause; — burla de to make fun of; — falta to need; no hacía falta it was not necessary; hace un mes a month ago; — mil pedazos to smash into a thousand bits; — las veces de to take the place of; hace ago; hace poco a short time ago; hace tiempo que some time ago; —se a la vela to set sail

hacia toward

la hacienda estate

hago *1st s. pres. ind. of* hacer I make, do, will make

el halcón hawk; Ojo de — Hawkeye

hallar to find

hallarse to be, to find oneself

el hambre *f.* hunger

han *3rd pl. pres. ind. of* haber have

hará *3rd s. fut. ind. of* hacer will do

el harapo rag

haré *1st s. fut. ind. of* hacer I shall do

hartar to overwhelm

has *2nd s. pres. ind. of* haber you have, thou hast

hasta until, even, as far as

hasta que until

hay *pres. ind. of impersonal* haber there is, there are; — que + *inf.* it is necessary

hayan *3rd pl. pres. subj. of* haber have

hayas *2nd s. pres. subj. of* haber you have

haz *s. imp. of* hacer make, pack

he *1st s. pres. ind. of* haber I have

hecho *p. p. of* hacer done, made; había — examinar had had examined

el hecho fact

Heidelberg *Pr. n.* Heidelberg, *famed university town in Germany*

helado, –a icy

hercúleo, –a Herculean

Hércules *Pr. n.* Hercules; ciudad de — Cádiz, *traditionally founded by Hercules*

heredar to inherit

el heredero heir

hereditario, –a hereditary

el hereje heretic

herido, –a wounded

el herido wounded man

la hermana sister; *also used adjectivally*

el hermanito *dim. of* hermano brother

el hermano brother

hermoso, –a beautiful

la hermosura beauty

heroicamente heroically

heroico, –a heroic

la herramienta tool

hervir (ie) to boil

hice *see* hacer

hiciera *1st and 3rd s. impfct. subj. of* hacer made, would make

la hidalguía chivalry, nobility

la hierba grass, herb, yerba

el hierro iron

el hígado liver, gall; tenía más —s que un guardia civil she had more gall than a civil guard

la higuera fig tree

la hija daughter, my dear, product

el hijito *dim. of* hijo sonny

el hijo son, boy, darling; *pl.* children

el hilo string

el himno hymn, anthem

Hinojosa *Pr. n.*

hipnotizado, –a hypnotized

la hipótesis hypothesis

hirviendo boiling

la historia story, history

la historieta short story

hizo *3rd s. pret. of* hacer did, made; me — gracia it amused me

el hogar hearth, home

la hoja leaf, half of a door; — de lata tin

hojear to page, glance through

hola hello

holgar (ue) to be useless, needless

el hombre man; — de negocios business man; — de corazón courageous man

¡hombreeee! Why, man!

el hombro shoulder

el honor honor

honorífico, –a honorary

honrado, –a honest, respectable, honorable

lo **honrado** honesty, fairness
Hoover *Pr. n.*

la **hora** hour, time; **a estas —s**
at this time

el **horizonte** horizon
horrible horrible

el **horror** horror

el **hortelano** gardener
hospedado, –a lodged
hospedarse to lodge

el **hospital** hospital

la **hospitalidad** hospitality

el **hotel** hotel
hoy today; **— día** nowadays
hubiera *1st and 3rd s. impfct.
subj. of* **haber** had
hubiesen *3rd pl. impfct. subj.
of* **haber** had
hubo *3rd s. pret. of* **haber**
there was, had
huelga *3rd s. pres. ind. of*
holgar it is needless

la **huelga** strike
Huelva *Pr. n. city and port
in S. W. Spain, near Portu-
guese border*

la **huerta** garden, garden dis-
trict, orchard

el **hueso** bone

el **huésped** guest
huir to flee
humano, –a human

la **humedad** moisture
húmedo, –a damp

la **humildad** humility, modesty;
con — modestly
humilde modest, common,
humble
humildísimo, –a very humble

el **humito** smoke

el **humo** smoke

el **humor** mood
hundirse to sink

el **hurra** hurrah
huyó *3rd s. pret. of* **huir**
fled

I

iba *3rd s. impfct. ind. of* **ir**
was going
iban *3rd pl. impfct. ind. of*
ir were going
Ibo *Pr. n.* Ives

la **idea** idea, opinion
identificar to identify
identifique *1st and 3rd s.
pres. subj. of* **identificar**
identify

el **idioma** language

el **ídolo** idol

la **iglesia** church
Ignacio *Pr. n.* Ignace

la **ignorancia** ignorance
ignorante ignorant

el **ignorante** ignoramus
igual equal, similar, like
(them) ; **por —** equally
igualmente equally
iluminado, –a illuminated
ilustre illustrious

la **imagen** image, figure

la **imaginación** imagination
imaginarse to imagine

la **imitación** imitation
imitado, –a imitated
impaciente impatiently
impedir (i) to prevent
imperdonable unpardonable
imperturbable imperturbable, quiet, peaceful, solemn
implacable implacable
imponer to impose

la **importancia** importance
importar to matter

el **importe** value, amount

el **importuno** untimely person, meddler

imposible impossible

la **impresión** impression

impresionado, –a impressed

impresionar to impress

impropio, –a unbecoming

imprudente imprudent

el **imprudente** imprudent person

el **impulso** impulse

inadvertidamente inadvertently

inaugurar to inaugurate

incendiado, –a burning

el **incendio** fire, conflagration

el **incidente** incident

incitar to urge

la **inclinación** inclination, leaning

inclinado, –a leaning, bending

inclinar to bow

inclinarse to bow, lean over

incluso, –a including

incoloro, –a colorless

incomodarse to become angry

incomprensible incomprehensible

el **inconveniente** objection

la **incorrección** improper behavior, impropriety

el **indecente** indecent fellow

indescifrable baffling

indescriptible indescribable

la **indicación** indication

indicar to indicate

el **índice** index finger

indiferente indifferent

la **indignación** indignation

el **indio** Indian

indispensable indispensable

el **individuo** person, fellow, member

inducir to induce, influence

indudable certain, indubitable, beyond dispute

indudablemente undoubtedly

la **industria** industry

inequívoco, –a unmistakable

inesperado, –a unexpected

inevitable inevitable

infame infamous, vile

el **infame** vile fellow

la **infancia** childhood

infantil childish

inferior lower

el **infierno** hell, inferno

infinito, –a infinite

inflamado, –a inflamed

la **inflexión** inflection

el **informador** reporter

informar to inform, give information

el **informe** information

infranqueable insurmountable

el **ingeniero** engineer

el **ingenio** talent, skill

Inglaterra *Pr. n.* England

inglés, –a English

el **inglés** Englishman, English

el **ingreso** income

iniciarse to be initiated, begun

la **injuria** insult

inmediatamente immediately

inmediato, –a nearby, immediate

inmenso, –a immense, great, intense

inmóvil motionless

inmovilizarse to be motionless, become motionless

inoportuno, –a inopportune

inquieto, –a uneasy, restless

la **inquietud** uneasiness, restlessness

inquisitorial inquisitorial, questioning

insensible insensible

insigne illustrious

el **insomnio** lack of sleep

insondable unfathomable

insoportable unbearable

inspirar to inspire, arouse

el **instante** instant; al — at once

instintivamente instinctively

insultar to insult

el **insulto** insult

la **inteligencia** intelligence, understanding

inteligente intelligent

el **inteligente** connoisseur

inteligible intelligible

la **intemperancia** rashness

intencionalmente intentionally

intenso, –a intense

intentar to try

el **interés** interest, property

interesante interesting

interesar to interest

interesarse por to become interested in

interior inside, interior, inland

el **interior** interior

la **interjección** interjection

el **interlocutor** interlocutor, speaker

internacional international

interponerse to interpose, intervene

el **interrogado** man questioned

interrogador, –a questioning

interrogar to ask, question

interrumpido, –a interrupted

interrumpir to interrupt, break off

intervenir to intervene, interrupt

intolerable intolerable

la **introducción** introduction

introducir to introduce, put into

inútil useless, in vain

invadir to invade, encroach upon

inventar to invent

el **invierno** winter

la **invitación** invitation

el **invitado** guest

invitar to invite

involuntariamente involuntarily

ir to go, keep on, be; ¡vaya . . . ! what . . . !; **vaya si** certainly

la **ira** anger, wrath, ire

irisado, –a iridescent, rainbow-hued

la **ironía** irony

irónico, –a ironical

irregular irregular

irritado, –a irritated, angry

irritar to irritate

irse to go, to go away, leave, rise

Isabel *Pr. n.* Isabel, Elizabeth

italiano, –a Italian

el **italiano** Italian

el **itinerario** itinerary

izquierdo, –a left

J

¡**ja!** ha!

el **jaez** manner, nature

jamás never, ever, never before

la **jarcia** rigging

el **jardín** garden

el jefe chief; ingeniero — chief engineer

¡jinojo! doggonit

Job *Pr. n.*

José *Pr. n.* Joseph

joven young

el joven young man

la joven young lady

la joya jewel, treasure

la joyería jeweler's shop

el joyero jeweler

Juan *Pr. n.* John

jubilarse to retire

el júbilo joy

el juez judge

jugarse (ue) to risk

el juicio judgment; la muela del — wisdom tooth

el junio June

junto, -a together; — a near, next to

jurar to swear

la jurisdicción jurisdiction

justamente precisely

la justicia law, justice

justo proper, right

la juventud youth

el juzgado court

K

el kilómetro kilometer

L

la, las *f. art.* the; *sometimes used for the possessive adjective*

la *obj. pr.* it, her, you; las them, you

la *dem. pr.* that, the one, she

Labarta, Enrique (*b. 1863*) *author of short stories; humorist; native of Galicia*

el laberinto labyrinth

el labio lip

la labor sewing

el laboratorio laboratory

el labrador farmer

labrar to manufacture, carve, cut out, work (land), cultivate

el lado side, hand

ladrar to bark

el ladrillo brick

el ladrón thief; — de casa inside thief

la ladrona thief *f.*

el lagar winepress

el lago lake

la lágrima tear

el lamento lament, moan

la lámpara lamp

Landoy *Pr. n.*

lanzar to utter, cast, throw, give

lanzarse to rush into, launch forth

el lapicero pencil box

el lápiz pencil

largo, -a long; a lo — de along

Larramendi *Pr. n.*

la lástima pity

la lata tin; *see also* hoja de lata

el lavadero public washing place

lavar to wash

le to (for, with, from) him, her, you

leal loyal

la lealtad loyalty

el lector reader

la lectura reading

el lecho bed

la lechuza owl

leer to read

legítimo, -a genuine

la legua league

la **legumbre** vegetable
lejano, -a distant
lejos far, far away, afar; **a lo —** in the distance
la **lengua** tongue, language
lentamente slowly
el **lente** monocle
la **lenteja** lentil
la **lentitud** slowness; **con —** slowly
lento, -a slow
la **leña** firewood
el **león** lion
Lerma *Pr. n.*
letón, -a Lettish, *from Latvia*
el **letrero** sign
la **leva** draft
levantar to raise, lift
levantarse to get up
leve slight, light
la **ley** law
leyendo *pres. p. of* leer reading
la **libertad** liberty, freedom
librar to free, relieve
el **libro** book
el **licenciado** discharged inmate, "graduate"
la **liebre** hare
el **lienzo** canvas
ligero, -a slight
limitado, -a bounded
la **limpia** cleaning
limpiar to clean
limpio, -a clean
la **linaza** linseed; **aceite de —** linseed oil
lindar to adjoin, abut
lindo, -a pretty, beautiful
la **línea** line
el **lío** bundle
el **líquido** liquid
lisiado, -a injured, disabled

el **litoral** shore
Liverpool *Pr. n.* Liverpool, *English seaport*
lívido, -a livid
lo *neuter art.* the
lo *obj. pr.* it, him, you; so
lo que what, that which
el **lobo** wolf
local local
locamente madly
loco, -a mad, crazy
lógico, -a logical
lograr to succeed, obtain, procure
el **lomo** back
la **lona** canvas
Londres *Pr. n.* London
la **loquilla: la muy —** the "dizzy" little thing that she was
Lorito Polly
el **loro** parrot
los *m. art.* the
los *obj. pr.* them, you
los *dem. pr.* those
los que, las que those which, those who, they who
Lucía *Pr. n.* Lucile, Lucy
lucido, -a shining, showy
lucir to shine
la **lucha** struggle; **en — con** struggling with
luchar to fight, struggle
luego then, afterwards; **desde —** immediately
el **lugar** place, occasion, rise; town, village; **en — de** instead of
lúgubre gloomy
Luis *Pr. n.* Louis
Luisa *Pr. n.* Louise
el **lujo** luxury
luminoso, -a bright, luminous

la **luna** moon; — **de miel** honeymoon

la **luz** light

LL

la **llama** flame

llamar to call, attract, knock, tap, conciliate

llamarse to be called; **se llama** her name is

el **llanto** weeping

la **llanura** plain

la **llave** key

la **llavecita** little key

la **llegada** arrival

llegar to arrive, reach, succeed, get; — **hasta** to reach, come down to

llenar to fill

lleno, -a full, filled

llevar to wear, carry, take, spend, lead, raise, have

llevarse to carry off

llorar to cry, to weep (over)

lloriquear to cry, sob

Llosa *Pr. n.*

llover (ue) to rain

lluvioso, -a rainy

M

Mabel *Pr. n.*

la **madama** Madame

la **madera** wood, lumber

el **madero** beam

la **madre** mother

la **madreselva** honeysuckle

Madrid *Pr. n. capital of Spain, located in center of nation; population about a million*

la **madrugada** early morning

el **madrugador** early riser

la **madurez** maturity, ripeness

el **maestro** master

la **Magdalena** *Pr. n.* Magdalene

el **magistrado** magistrate

el **magnate** magnate

magnífico, -a magnificent

mago: los reyes —s the three wise men, Magi

majestuoso, -a majestic

mal badly

el **mal** evil, illness; **el — de amores** love sickness; **¿cómo va de —es?** how are your troubles?

la **maldad** evil, harm

la **maldición** curse

maldito, -a cursed; — **la gracia que me hacía** I didn't like it, I didn't think it was even funny

el **malestar** uneasiness

la **maleta** suitcase

el **maletín** satchel

malhumorado, -a ill humored, ill humoredly

malo, -a bad, evil

lo **malo** the bad part

el **mamarracho** daub, botch

mandar to order, command; **—le a uno a paseo** to give one the air

manejar to handle, manipulate

la **manera** way, manner; **de todas —s** anyway

el **manguero** mango tree

la **manifestación** statement, declaration, manifestation

manifestar to state, declare, show

manifestarse to be manifested, shown

la **mano** hand; **—s blancas** women's hands

la mansión home, dwelling

manso, -a gentle, quiet

la manta blanket, rug; — de viaje traveling rug

Manuela *Pr. n.*

la maña skill, cleverness

mañana tomorrow; — mismo no later than tomorrow

la mañana morning; a la — siguiente the next morning; hoy por la — this morning

la máquina machine; — de coser sewing machine; — de escribir typewriter

el mar *or* la mar sea

Maracaibo *Pr. n. city in Venezuela; also name of lake*

la maravilla wonder, marvel

maravillosamente marvelously

maravilloso, -a marvelous

marcar to mark, indicate

la marcha: en — in motion

marchar to go

marcharse to leave, go away; que no se marche don't let him go away

María *Pr. n.* Mary; por — Santísima by all that is holy

María Concepción *Pr. n.*

¡María Santísima! Good heavens!

el marido husband

el marinero sailor

el marino mariner

la mariposa butterfly

el martillo hammer

Martínez *Pr. n.*

más more, most, any more, even more; no . . . — que only

la mascada chew, cud

la máscara mask

el masón mason, member of Masonic order

el mástil mast

Matacoquipapi *Pr. n.*

el matadero slaughter house

el matador slayer

matar to kill; — a disgustos to annoy to death

el mate Paraguayan tea; *also the gourd containing the infusion;* el — de hierba del Paraguay gourd of Paraguayan tea

Mateo *Pr. n.* Matthew

la materia subject, business

materialmente physically

maternal maternal

matinal morning, early

el matrimonio marriage, married couple

maullador, -a mewing (*applied to cats*)

Maxwell *Pr. n.*

mayor greater, greatest, larger, older; al por — wholesale

el mayoral driver

la mayoría majority

la mazorca corn, ear of corn

me me, to me, at me, for me, from me, myself

mediano, -a middle, medium

mediante by virtue of

mediar to reach the middle, intervene

el médico doctor, physician

la medida measure, degree; a — que in proportion as, just as

medio, -a half, middle; — noche midnight, twelve o'clock; en — de in the middle of, in the midst of; de — a — in two

el **medio** means
la **meditación** meditation, thought
Méjico *Pr. n.* Mexico
la **mejilla** cheek
mejor better, best
melancólicamente in a melancholy manner
la **memoria** memory
menear to move, shake
menester necessary
menor less, least, slightest; smaller, smallest, youngest
menos except, less, least; **por lo —** at least; **— mal** it isn't so bad; **lo de —** the worst
mentalmente mentally, in their minds
la **mente** mind
la **mentira** lie
menudo, -a tiny; **a —** often
el **mercado** market
la **mercancía** merchandise, ware
la **merced** mercy
Mercedes *Pr. n.* Mercedes
merecer to deserve
el **merecido** just deserts
merezco *1st s. pres. ind. of* **merecer** I deserve
mero, a mere
el **mes** month
la **mesa** table
mesar to tear
el **mestizo** mestizo, half-breed
el **metal** metal
meter to put (into)
meterse to get into, enter; **— dentro de** to enter
metido, -a put, set
el **metro** meter
meu (*Valencian*) my
México *Pr. n.* Mexico, *the spelling current in Mexico*
mezclarse to interfere

mi my
mí me
Michito Pussy
el **miedo** fear; **tener —** to be afraid
la **miel** honey, sweet juice; **luna de —** honeymoon
el **miembro** member
mientras while; **— que** while
mil a thousand
la **milicia** militia
el **militar** soldier
la **mina** mine
el **minero** miner
mínimo, -a very small
el **ministro** minister
Minneápolis *Pr. n.*
Minnesota *Pr. n.*
minuciosamente minutely
el **minuto** minute
mío, -a my, of mine
el **mío** mine
la **mirada** glance
mirar to look, look at, see, look out, consider; **mire Vd.** see here
la **misa** mass; **— mayor** High Mass
miserable wretched
la **miseria** poverty
la **misericordia** mercy
mismo, -a same, self, very; **yo —** I myself; **Job —** Job himself; **nosotros —s** we ourselves; **y yo lo —** the same to you; and I also; I'm very glad to have met you; **lo — que** the same as
míster Mr.
misterioso, -a mysterious
la **mitad** half, middle
mocetón, -a sturdy
el **mocetón** big, strong youth

la **moda** style, fashion; de —
fashionable
moderado, –a moderate, cool
moderar to moderate, curb
moderno, –a modern
modestamente modestly
modesto, –a modest
el **modo** way, manner; de otro
— otherwise; de ningún —
by any means, at all; de
todos —s anyway, how-
ever
el **mohín** grimace; — de pillete
roguish grimace
mohoso, –a rusty
mojado, –a wet
molestar to bother
molestarse to bother
el **molino** mill
momentáneo, –a momentary
el **momento** moment; por —s
momentarily; a los pocos
—s after a few moments;
al — immediately
la **moneda** coin
mono, –a pretty, cute
el **mono** monkey
monstruoso, –a monstruous
Montana Pr. n.
la **montaña** mountain
montar to mount
el **montón** heap, pile
el **monumento** monument
moralmente morally
la **morenita** little brunette
moreno, –a dark, brunet
morir (ue) to die
morirse (ue) to die; — de
hambre to starve; sí me
muero de miedo I *am*
frightened to death
la **morisqueta** grimace; *pl.* faces
mormónico, –a Mormon
mortal mortal
el **mortal** mortal

la **mosca** fly
mostrar (ue) to show
el **motivo** reason
mover (ue) to move, wage
moverse (ue) to move
movido, –a moved
el **movimiento** movement
la **moza** girl
el **mozo** youth, boy, fellow,
porter
la **muchacha** girl
el **muchacho** boy, fellow
muchísimo very much
mucho, –a much, very much,
a great deal, very long; *pl.*
many, great number of; lo
— que how much
mudarse to move
mudo, –a mute, dumb, silent
el **mueble** furniture, piece of
furniture; — escritorio
writing desk
la **mueca** grimace
la **muela** molar; — del juicio
wisdom tooth
el **muelle** wharf
la **muerte** death
muerto *p. p. of* morir died
muerto, –a dead, lifeless
la **muestra** sign, indication
el **mugido** lowing
mugir to bellow, low
la **mujer** woman, wife
la **mujercita** little woman
la **multitud** multitude, large
number
el **mundo** world; todo el —
everyone
la **muñequilla** polishing bag
**Muñoz y Pabón, Juan Fran-
cisco** (1866-1920), *Andalusian poet and novelist,
noted for his stories of the
popular life of his province*

Murillo, Bartolomé Esteban (*1618-1682*) *Spanish artist who specialized in religious subjects*

murmurar to murmur; grumble

el muro wall, side

la musa muse

el músculo muscle

el musco museum

la música music

mutilado, -a mutilated

muy very

N

nacer to be born, begin

la nación nation

nacional national

la nacionalidad nationality

nada nothing, anything; ¡—, —! no, no; — que hacer nothing to do

nadie anyone, no one, nobody; — más anyone else

Napoleón III *Pr. n. Emperor of France, 1852-1870*

Nápoles *Pr. n.* Naples, Italy

la naranja orange; color de — orange colored

la nariz nose

natural natural

la naturaleza nature

la naturalidad naturalness, artlessness

naturalmente naturally

el náufrago shipwrecked person

la navaja de afeitar razor

la navegación navigation

navegar to sail (on)

el navío ship

necesario, -a necessary

necesitar to need

negarse (ie) to be denied; — a to refuse

la negligencia negligence

el negocio business, transaction, matter, piece of business

negro, -a black

la nena darling

Nerón *Pr. n.* Nero

el nervio nerve

nervioso, -a nervous

ni nor, not, not even; — . . . — neither . . . nor

el nido nest

la nieta granddaughter

el nieto grandson

ninguno, -a none, any, neither

la niña girl, little girl, child, apple

el niño boy, child

no not, no; — y — I should say not, absolutely not

noble noble

el noble nobleman

nocturno, -a nocturnal

la noche night, evening; buenas —s good evening, good night; de — at night, night; ya de — when night had fallen; esta — tonight; por la — in the evening; todas las —s every night

Nolón *Pr. n.*

nombrar to name

el nombre name

la nomenclatura nomenclature

el nordeste northeast wind

Noroña *Pr. n.*

el norte north

norteamericano, -a North American, American (*from the United States*)

nos us, ourselves, each other

nosotros, -as we, us

notable distinguished

notar to notice

la **noticia** information; *pl.* news
la **novia** sweetheart
el **novio** sweetheart, lover
la **nube** cloud
la **nubecilla** little cloud
nublarse to cloud over
nuestro, –a our
Nueva York *Pr. n.* New York
nueve nine; **a las —** at nine o'clock
nuevo, –a new, renewed; **de —** again
el **número** number
numeroso, –a numerous
nunca never, ever
nupcial nuptial, wedding

O

o or
obedecer to obey
el **objeto** object
obligado, –a obliged, compelled
obligar to oblige, compel
la **obra** work, construction work
la **obscuridad** darkness
obscuro, –a dark
obsequiar to treat
la **observación** observation
observar to observe
el **obstáculo** obstacle
la **ocasión** opportunity, occasion
ocultar to hide
ocultarse to hide (oneself)
ocupado, –a busy
ocupar to occupy, hold
ocurrir to happen; **ocurrírsele a uno** to occur to one
ochenta eighty
ocho eight
Ochoa *Pr. n.*
odiado, –a hated

el **odio** hatred
ofender to offend
la **ofensa** offense
la **oferta** offer
oficial official
la **oficina** office
el **oficio** profession, trade
ofrecer to offer
ofrecerse to offer; **¿qué se le ofrece?** what do you wish?
ofrezca *1st and 3rd s. pres. subj. of* **ofrecer** offer
ofrezco *1st s. pres. ind. of* **ofrecer** I offer
el **oído** ear
oiga *1st and 3rd s. pres. subj. of* **oír** hear
oigo *1st s. pres. ind. of* **oír** I hear
oír to hear, listen
el **ojo** eye; **—s de gato** catlike eyes
la **ola** wave
el **olfato** sense of smell
el **olmo** elm
el **olor** odor
olvidar to forget
el **olvido** forgetting, oversight
la **ondulación** wave, ripple
ondular to undulate
la **onza** doubloon, ounce
opaco, –a reserved, unrevealing
la **operación** operation
opinar to think, opine
la **opinión** opinion
la **oposición** opposition
oprimir to press
opuesto, –a opposite
el **orador** orator, speaker
la **orden** order
el **organismo** constitution, body
organizar to organize

el **orgullo** pride
orgulloso, –a proud
original odd, unusual, original
la **orilla** bank (of a river)
Orillasqui *Pr. n.*
el **oro** gold
la **orquídea** orchid
osado, –a bold, daring
oscuro, –a dark, dusky
el **oso** bear
ostentar to exhibit, display
otro, –a other, another, next, former; otras tantas banderas as many more flags
la **ovación** ovation
oye *s. imp. of* oír listen
oye *3rd s. pres. ind. of* oír hears; lo que Vd. — you heard me
oyen *3rd pl. pres. ind. of* oír hear
oyera *1st and 3rd impfct. subj. of* oír hear
oyó *3rd s. pret. of* oír heard

P

Pablo *Pr. n.* Paul
Pabón *Pr. n.*
el **padre** father; *pl.* parents
pagado, –a pleased, satisfied
pagar to pay *(*for), repay
el **país** country
la **paja** straw
la **pala** shovel
la **palabra** word
el **paladar** palate
pálido, –a pale
Palma, Ricardo (*1833-1919*) *Peruvian author, whose works on folklore and stories of his native land have made his name famous*

el **palmo** span (eight inches); handbreadth
la **paloma** dove
la **palomita** little dove
palpitar to palpitate, beat
el **pan** bread
el **panal** honeycomb
el **pantalón** pants, trousers
el **paño** cloth; —s calientes (*see* andar)
el **pañuelo** handkerchief
el **papá** father
el **papel** paper
el **paquete** package
par: de — en — wide open
para for, in order to, to, intended for, toward; — que in order that; ¿— qué? why?
el **parador** inn
el **Paraguay** *Pr. n.* Paraguay
la **parálisis** paralysis
el **paralítico** paralytic
parar to stop
pararse to stop
Pardo Bazán, Emilia (*1852-1921*) *outstanding Spanish woman novelist and author of short stories; countess; professor of literature*
parecer to seem, appear, to seem like; al — apparently; me parece de perillas it suits me to a "t"; si a Vd. le parece if it is agreeable with you
parecerse a to resemble
parecidísimo, –a very similar
parecido, –a similar
la **pared** wall
el **paredón** high wall
el **pariente** relative
París *Pr. n.* Paris, France
parlotear to chatter
el **paroxismo** paroxysm

el **párpado** eyelid

la **parroquiana** client

parte partly

la **parte** part, portion; a otra — somewhere else; (en) todas —s everywhere; a todas —s everywhere, in all directions; por otra — on the other hand

particular private

el **particular** private individual

el **partidario** exponent, partisan

partir to leave, depart, split; — de medio a medio to split into two parts

el **pasajero** passenger

el **pasaporte** passport

pasar to pass, happen, spend, turn over to, come in; ¿qué le pasa? what is the matter with you?; pasados algunos minutos after several minutes had passed

pasear to take a trip

el **pasito** small step; — a — very slowly

el **paso** step, footstep

Pastiche Pr. n.

el **pasto** grass for grazing, food, fodder

la **pata** foot

la **patada** stamp on the ground; dar una — to stamp one's foot

Patagonia Pr. n. Patagonia, southern section of Argentina

la **pataleta** conniption fit, tantrum

paterno, –a paternal

la **patria** fatherland

el **patriarca** patriarch

el **patrón** skipper

la **pausa** pause

el **pavimento** pavement

la **paz** peace

P. D. abbreviation of Post Data postscript, P. S.

el **pecado** sin

el **pecador** sinner

el **pecho** breast, chest, heart, tribute; dar — pay tribute

el **pedazo** piece

el **pedido** request, petition

pedir (i) to ask for, to beg, to get (orders)

Pedro Pr. n. Peter

pegado, –a sticking

el **peligro** danger

peligroso, –a dangerous

el **pelo** hair

peludo, –a hairy

la **pelleja** skin

el **pellejo** hide

la **pena** trouble, grief

penar to wander in torment (said of souls)

pendiente hanging

el **pendón** banner, standard

penetrar (en) to enter

pensado: el día menos — when you least expect it, any old day

el **pensamiento** thought

pensar (en) (ie) to think (of), to plan, intend

peor worse, worst

lo **peor** the worst

la **pepita** seed

pequeñito, –a dim. of pequeño tiny

pequeño, –a small, little

el **percal** percale

la **percepción** perception

percibir to receive, collect, perceive, hear

perder (ie) to lose, waste

la **pérdida** loss

perdido, –a lost

el perdón pardon
perdonar to pardon
la pereza laziness; con — lazily
la perfección perfection
perfectamente all right, perfectly
porfecto, -a perfect
pérfido, -a perfidious, faithless
perfumar to perfume
el perfume perfume
el perifollo ornaments
perillas: me parece de — it suits me to a "t"
el periódico newspaper
el periodista journalist
la peripecia incident
perito, -a expert
la perla pearl
permanecer to remain
el permiso permission
permitir to permit, allow
pero but, nevertheless
la peroración speech
perpetuo, -a perpetual
el perro dog, puppy
la persecución persecution
perseguir (i) to pursue
la persona person; mi — myself; su — yourself
el personaje personage, person
pertenecer to belong
pesadamente heavily
la pesadilla nightmare
pesado, -a heavy, massive
la pesadumbre grief
pesar to weigh, be heavy
el pesar worry; a — de in spite of
pescar to catch (as a fish)
el peso weight; the monetary unit of Mexico, worth about 28 cents
la peste plague
Petridis Pr. n.

el petróleo petroleum, oil
petulante insolent
el pícaro rogue
el pico pickaxe
Pichardo Pr. n.
el pie foot
la piedad pity
la piedra stone
la piel skin; los —es rojas redskins
la pierna leg
el pilar column, pillar
pillar to catch
el pillete rascal, rogue
el pillo knave
Pin Pr. n.
pintar to paint
el pintor painter
pintoresco, -a picturesque
la pintura painting
la piqueta pickaxe
piramidal pyramidal
pirata: bajel — pirate ship
el pirata pirate
pizpireta lively
el placer pleasure
el plan plan
la plana copy; a toda — across the page
la plancha sheet
planchado, -a ironed
el plano map, plan
plantao for plantado handsome
plantar to strike, give
la plata silver
el plátano banana
el plato dish, plate, course
la playa beach, shore
la plaza public square
el pleito lawsuit
plenamente fully
pleno, -a full; en — día in the middle of the day, in

broad daylight; en — plaza
in the middle of the square

el **plomo** lead

la **pluma** pen, feather

la **población** town, people

pobre poor

el **pobre** poor man, the poor

la **pobrecita** poor thing

el **pobrecito** poor fellow

Pocaterra, José Rafael *Venezuelan novelist and author of short stories; bitter in criticisms; interested in the social evolution of Venezuela*

poco little; — a — little by little

poco, -a small, little, short; *pl.* few

poder (ue) to be able, can, may; **lo que se pueda** what is possible

el **poder** power

poderoso, -a powerful

el **poeta** poet

la **policía** police

el **policía** policeman

la **polilla** moth

la **política** politics

político, -a political

el **polizonte** police

el **polvo** dust

el **pollo** chicken

Pomares *Pr. n.*

la **pompa** pomp, ostentation

la **ponderación** exaggeration

poner to put, place, set; — **en duda** to doubt; **tiene puesto el ojo en** he has his eye on; **me pone rojo** makes me blush

ponerse to become; — **a +** *inf.* to begin; — **a la obra** to get to work; — **de acuerdo** to agree; — **en**

contra de to oppose; — **en cuclillas** to squat down; — **en lo razonable** to be reasonable; — **loco de la**

el **poniente** west

la **popa** stern (of a boat)

poquillo trifle, little bit

poquísimo, -a very few; *adv.* very little

poquitín tiny bit

poquito little

por for, in, on, with, because of, by, through, to, along, as, over, at, judging by, per; — **más que** however much; — **ser** because he is; ¿— **qué?** why?

porque because, in order that

el **portalón** entrance

la **portería** gatekeeper's lodge

el **portero** gate keeper

el **portón** large door

el **porvenir** future

poseer to possess

poseído, -a possessed

la **posesión** possession

posible possible

postergado, -a left behind, slighted

la **potencia** power

práctico, -a practical

la **precaución** precaution

preciarse de to take pride in

el **precio** price

precioso, -a pretty, beautiful

la **precipitación** haste

precipitar to hasten, hurry, speed up

precisamente precisely

preciso, -a exact, precise, necessary

predicar to preach

predilecto, -a favorite

pregonar to proclaim

la **pregunta** question
preguntar to ask
preguntarse to wonder
los **preliminares** preliminaries
la **prenda** garment
prender to catch, fasten, arrest
la **prensa** press; — del lagar winepress
la **preocupación** preoccupation
preocupado, –a worried; me tiene — it worries me
preocuparse to worry
preparar to get ready, prepare
prepararse to get ready
el **preparativo** preparation
la **presa** dam; capture, prize
prescindir to do without
la **presencia** presence
presentar to present, introduce
presente present; tener — to have in mind
el **presentimiento** presentiment
presentir (ie) to have a presentiment of
el **presidente** president
el **presidio** prison
preso, –a seized, in the grip of
el **prestigio** prestige
prestigioso, –a distinguished
presunto, –a presumed
pretender to try, seek
el **pretendiente** wooer, candidate
el **pretexto** pretext
prevenirse to get ready
la **primavera** spring
primer *apocopated form of* primero first
primero, –a first, rather
lo **primero** the first thing
el **primo** cousin

la **princesa** princess
principal principal
el **principal** head of the establishment
el **príncipe** prince
principiar to begin
el **principio** beginning; al — at first
la **prisa** haste
privado, –a private, confidential
la **proa** prow, bow; a — in the bow
probable probable
probablemente probably
probado, –a tested, tried, proven
probar (ue) to prove
proclamar to proclaim
producir to produce
productivo, –a productive
la **profesión** profession
profesional professional
la **profesora** sorceress
el **profeta** prophet
profundamente soundly
las **profundidades** depths
profundo, –a great, long, deep, sunken, sound, profound
progresar to progress
la **prohibición** prohibition
prolongado, –a prolonged
pronto soon, quickly; de — suddenly
pronunciar to pronounce, deliver
propio, –a own, proper, of its own
proponerse to plan, determine upon
el **propósito** proposal; a — suitable
propuesto *p. p. of* proponer

proposed, planned, determined

prorrumpir to burst forth

proseguir (i) to continue

la protección protection

protector, –a protecting

el protector protector

proteger to protect

protegido, –a protected

provincial provincial; los Provinciales Provincial Guards

próximo, –a next

la prueba proof

la psicología psychology

el psicólogo psychologist

publicar to publish

la publicidad publicity

el publicista publicist

público, –a public

pude *1st s. pret. of* poder I could

pudiera *1st and 3rd s. impfct. subj. of* poder might

pudiese *1st and 3rd s. impfct. subj. of* poder was able, were able

pudo *3rd s. pret. of* poder could, was able; ya no — más could stand it no longer

Puebla *Pr. n. famous colonial city east of Mexico City*

el pueblecito little village

el pueblo town, people

el puente bridge

pueril childish, puerile

la puerta door, gate

el puerto harbor

pues well, since, then; — bien well, then

la puesta del sol sunset

puesto *p. p. of* poner put

puesto, –a placed

el puesto position, post, stand, place

puesto que since

la punta point, corner

Punta Arenas *Pr. n. town in Patagonia; southernmost city in the world*

el puntapié kick

el punto point; subir de — to increase; a — de on the point of; en — sharp, on the dot

la puñada blow with fist; darse de —s to come to blows

el puñadito little handful

el puñal dagger

el puñetazo punch

el puño cuff, fist

puramente purely

el purgatorio purgatory

el puro cigar

me puse *see* ponerse

pusieron *3rd pl. pret. of* poner put, placed; me — por delante they set before me

puso *3rd s. pret. of* poner put, placed

Q

q. b. s. p. (que besa sus pies —who kisses your feet) most sincerely

que that, as, who, which, because, for, than, if; *sometimes left untranslated;* a — in order that

¿qué? what?; ¿— tal? how? ¡qué! what!, what a —!, how!

quedar to be, remain, be left

quedarse to be, remain; — con to take, keep; — dormido to fall asleep quedito very quietly

quejarse to complain

quemado, –a burned, burning

quemar to burn, beat down

querer (ie) to want, wish, like, love, expect, try; — decir to mean

querido, –a dear; — joven my dear young man

el queso cheese

quien who, whom, one who, the one who, he who; no hay — there is no one who

¿quién? who?

quieto, –a quiet

la quietud quiet, calm

el quilo: sudar el — to sweat profusely

quince fifteen; — días two weeks, a fortnight; a los — días two weeks later; desde los — a los sesenta from the age of fifteen to sixty

quinientos, –as five hundred

quisiera *1st and 3rd s. impfct. subj. of* querer wanted, should like, should wish

quitar to take away, remove

quitarse to take off

quizá perhaps

quizás perhaps

R

la rabia rage, anger

el rabo tail

Rabosa *Pr. n.*

la ráfaga gust of wind

la rama branch, spray

el ramo branch, line, field

rapaz rapacious

rápidamente quickly, rapidly

raro, –a strange, unusual

el rascacielos skyscraper

rascar to scratch

rasgado, –a torn, ripped

el rasgo characteristic, trait

el raso satin

el ratero thief, pickpocket

ratificar to agree, approve

el rato while, space of time

la raya line

el rayo ray

la razón reason; tiene — you are right

razonable reasonable

lo razonable what is reasonable

real real, royal

el real *old Spanish coin, worth one-fourth of a peseta*

la realidad reality

realizar to accomplish, do, take

realizarse to take place

realmente really

reanudar to renew

reaparecer to reappear

el rebato: sonar a — to sound the alarm

rebelde rebellious, stubborn

la rebolonda chubby

el rebramar bellow, roar, howl

recapacitar to cogitate, think

el recaudador tax collector

recé *1st s. pret. of* rezar I prayed

la recepción reception

recibir to receive

el recibo receipt

recién fundado, –a newly founded

recién llegado, –a recently arrived

el recién llegado newcomer, recent arrival

el recién venido newcomer

recio, –a stout, strong

recíproco, –a reciprocal
recitar to recite
reclamar to demand
reclinado, –a reclining, leaning back
reclinar to lean back, rest
recobrar to regain, recover
recoger to pick up, gather together, take in
recogerse to retire
recomendar (ie) to recommend
la recompensa recompense, reward
reconocer to recognize, search, examine
reconozcan 3rd pl. pres. subj. of reconocer recognize
reconstruir to reconstruct
reconstruyeron 3rd pl. pret. of reconstruir reconstructed
la reconvención reproach
recordar (ue) to recall, remember
recorrer to run through, glance over, cover
recostado, –a leaning
recto, –a right, straight
el recuerdo recollection
recuperar to recover
el recurso resource, means
rechazar to repulse, drive back
redondo, –a round
reducido, –a small, reduced
Redwood Empire Pr. n.
referir (ie) to tell, relate
el reflejo reflection, reaction
reflexionar to reflect
refrenar to check
refugiarse to take refuge
el refugio refuge, shelter
refunfuñar grumbling
regalar to regale, give, present, give away; — el oído to tell a thing or two, to give an earful
el regalo gift; ¡qué —! how cute!, what a gift!
el regateo bargaining
la región region, territory
registrar to search
la regla rule; en — in order
regresar to return
regular good-sized
rehusar to refuse
la reina queen
reinar to reign
el reino kingdom
reír (i) to laugh
reírse de (i) to laugh at
la relación relation
relampaguear to flash
relativamente relatively
relinchar to neigh
el remedio remedy, medicine; sin — without fail; no tiene — it can't be helped
el remilgo affectation; see dejarse
el remojón soaking, bath; darse un — to take a bath
remono –a very cute, very pretty
remorder (ue) to bite, cause remorse
el rencor rancor, animosity
la rendija crack
rendir (i) to surrender
el renglón line
repartir to distribute
Repelos Pr. n.
repente: de — suddenly
repetido, –a repeated
repetir (i) to repeat
repicapunto: boquita de — dainty little mouth
replicar to reply
reponer to reply

el **reposo** tranquillity, rest, repose

representar to represent

la **república** republic

repuso *3rd s. pret. of* **reponer** replied

la **reputación** reputation

reservado, –a cautious, circumspect

resignar to give up, resign

resistir to put up with, stand, bear

resolver (ue) to determine, resolve

resolverse (ue) to determine upon, make up one's mind

respecto: con — a in regard to

respetado, –a respected; **— señor mío** my dear Sir

el **respeto** respect

respetuoso, –a respectful

la **respiración** breath, breathing

respirar to breathe; **— con fuerza** to take a deep breath

el **resplandor** light, gleam

responder to answer

la **respuesta** answer, reply

restallar to crack

restante remaining

restituir to restore

el **resto** rest, remainder

restregar to rub

resuelto, –a determined

el **resultado** result

resultar to turn out

el **resumen** summary; **en —** in short

retirar to take back, withdraw

retirarse to withdraw

el **retraso** delay

el **retrato** picture, portrait

retroceder to retreat

reunirse to come together, join, unite

revelar to reveal, disclose

el **revendedor** retailer

reventado, –a put out, torn out

reverente respectful

el **revés** back

el **revólver** revolver

el **revuelo** disturbance

el **rey** king; **—es magos** three wise men, Magi

rezar to pray

el **ribazo** sloping bank

rico, –a rich

el **rico** rich man

ridículo, –a ridiculous

el **riego** irrigation

rielar to glimmer

las **riendas** reins, direction

riendo *pres. p. of* **reír** laughing

el **riesgo** risk, danger

el **rifle** rifle

Riga *Pr. n.* Riga, Latvia

rígido, –a rigid, stiff

el **rigor** strictness, severity; **de — necessary**, indispensable

el **rincón** corner

río *see* **reír**

el **río** river

Río de Janeiro *Pr. n. capital and chief city of Brazil*

la **riqueza** wealth

la **risa** laughter

risueño, –a smiling

el **rival** rival; **sin —** unparalleled

rivalizar to compete

Roa Bárcena, José María *(1827-1908) ultra-conservative author of short stories, history and criticism; a natural story teller; Mexican*

robado, −a robbed, stolen

robar to steal, rob

el robo robbery, theft

robusto, −a robust, sturdy

el rocío dew

rodar (ue) to roll

rodeado, −a (de) surrounded (by)

rodear to surround

la rodilla knee; de —s kneeling

rogar (ue) to ask, beg

rojizo, −a reddish, rosy

rojo, −a red

románico, −a Roman (style of architecture)

romano, −a Roman

romper to break, tear, break out

romperse to break

roncar to snore

ronco hoarse

la ronda round

la ropa clothing, bedding

el rosario rosary

el rostro face

Rota Pr. n. village near Cádiz

roteño, −a pertaining to Rota

el roteño native of Rota

roto p. p. of romper broken

roto, −a broken, torn

el rubí ruby

rubio, −a blond, light

la rubita dim. of rubia little blonde girl

rudamente hard

el ruego request

rugir to roar

el rugir roar

el ruido noise, sound

el rumbo course; sin — aimlessly

rústico, −a rustic, peasant; a la — in country fashion

S

Sabel Pr. n. Isabel

saber to know, find out, learn, be able, can; quién sabe perhaps; ¿sabes? do you see?

sabré 1st s. fut. ind. of saber I shall know, be able

sacar to take out, stick out, get out, tear out, draw forth, bring out; — en brazos to carry out

saciarse to be satisfied; hasta — as much as he wanted

el saco bag, sack

sacrificar to sacrifice

el sacrificio sacrifice

sacudido, −a shaken

sacudir to shake, wag, shake off

sacudirse to beat, flap, shake off

Saint Paul Pr. n.

la sala room

salado, −a salted, salty

la salamandra salamander

la salida exit; a la — de on leaving

salir to leave, go out, get out, come out

salirse: — con la suya to have one's way

la salitrera saltpeter bed, nitrate bed

la salpicadura spattering

saltar to jump, jump over, scale, rise unexpectedly, break

la salud health

saludable healthful

saludar to greet, bow, salute

el **saludo** greeting; — de cortesía social greeting, *pl.* social amenities

el **salvador** savior

salvaje savage

salvar to save

San *shortened form of* **Santo** Saint

San Francisco *Pr. n.*

sanar to recover

la **sangre** blood; — fría self-possession

Santiago *Pr. n. capital of Chile*

Santiago de Compostela *Pr. n. capital of Galicia, traditional burial place of St. James*

la **santidad** sanctity

santísimo, –a most holy

santo, –a blessed, holy

el **santo** saint

el **sapo** toad

saqué *1st s. pret. of* **sacar** I took out

el **sargento** sergeant

la **sarta** string

Satanás Satan

la **sazón** season; a la — at that time

se himself, herself, yourself, themselves, yourselves, one, to him, her, you, them; each other, one another, from one another

sé *1st s. pres. ind. of* **saber** I know

sea *1st and 3rd s. pres. subj. of* **ser** be, is, am, are; que — so be it; o — or rather

seas *2nd s. pres. subj. of* **ser** be

secar to dry

la **sección** section, division

seco, –a sharp, dry

el **secreter** writing desk

el **secreto** secret

la **sed** thirst

Sedán *Pr. n. French army forced to surrender at this French town to the Germans in 1870*

sediento, –a thirsty

sedoso, –a silky

seductor, –a attractive

seguido, –a followed; en seguida at once

seguir to follow, continue; — adelante to go ahead

según as, according to

segundo, –a second

el **segundo** second

seguramente surely

la **seguridad** safety, certainty, assurance; con — surely

seguro, –a sure, safe, secure, certain; poner en — to put into safety; de — (que) surely

seis six

sellado, –a stamped

la **semana** week

sembrado, –a dotted, strewn

sembrar to sow

semejante such, such a, similar

semejar to resemble

el **semicírculo** semicircle

el **senador** senator

sencillo, –a simple, unaffected, plain, kindly, home-like

la **senda** path

la **sensación** feeling, impression

sentado, –a seated

sentar (ie) to seat

sentarse (ie) to sit down

la **sentencia** sentence

sentenciado, –a sentenced

sentido, –a felt

el sentido sense

el sentimiento sentiment, feeling

sentir (ie) to feel, hear, be sorry, regret, sense

sentirse (ie) to feel

la seña sign; *pl.* address

la señal token, indication, proof, sign; en — de as proof of

señalado, –a indicated

señalar to indicate, point

el señor Mr., sir, Lord, gentleman; — mío my dear sir, my dear fellow

la señora woman, Mrs., Madame, lady

los señores Mr. and Mrs., Messrs.

la señoría: Su — His Honor

la señorita young lady, Miss

el señorito Mr., young lord, dandy

separado, –a separated

separar to separate, remove

separarse to separate

sequé *1st s. pret. of* secar I dried

la sequedad curtness; con — curtly

ser to be; siendo así que since; es que the fact is that; ¡si será Brígida! It may be Bridget!; ¿qué es de . . .? what has become of . . .?; es de temer is to be feared; es de ver you ought to see; por ser Vd. because you are; ser de to belong to

el ser being

serenamente calmly, serenely

serio, –a serious, true, earnest

lo serio seriousness

la serpiente serpent

el servicio service

el servidor servant

la servidora servant; su segura — very truly yours

servir (i) (de) to serve (as); para —le a Vd. at your service; — para to be good for; no sirve para nada is of no use; ¿en qué puedo — la? what can I do for you?; ¿de qué sirve? of what use is . . .?

servirse (i) de to make use of

sesenta sixty

la sesión session

setenta seventy

severo, –a severe

Sevilla *Pr. n. chief city of Andalusia*

sevillano, –a Sevillian

Shylock *Pr. n. character in Shakespeare's* Merchant of Venice

si if, whether, why, *sometimes left untranslated*

sí herself, himself, itself, yourself, themselves

sí yes, certainly, indeed, *sometimes used to emphasize a verb;* — que certainly

la sibila prophetess, sibyl

siempre always; para — forever; — que whenever, provided that

la sien temple

siete seven

sigilosamente secretly

el siglo century

significar to mean

significativo, –a significant

siguiente following, next

siguió *see* seguir

el silbato whistle

el **silencio** silence; — **de muerte** deathlike silence
la **silla** chair, saddle
el **sillón** arm chair
simbolizar to symbolize
Simón *Pr. n.* Simon
la **simpatía** affection
simpático, –a agreeable, likable
sin without; — **que** without
sincero, –a sincere
singular extraordinary, singular, unique
siniestro, –a sinister
el **sinnúmero** countless number
sino but; — **que** but; **no . . . sino** only
la **síntesis** synthesis
sintético, –a synthetic
sintió *3rd s. pret. of* **sentir** felt
siquiera even
Siracusa *Pr. n.* Syracuse, N. Y.
la **sirvienta** maid
el **sirviente** servant
el **sistema** system
el **sitio** place
la **situación** situation
situado, –a situated
so under
so *used to emphasize a term of insult. Originally a contraction of* **señor***. Translate by* you *or else leave untranslated*
soberano, –a grand, swell; **un — puntapié** a peach of a kick
la **soberbia** pride
soberbio, –a grand, "swell," proud, magnificent
sobra: de — and then some
sobrar to be more than enough

sobre on, about, concerning, over, against, above; — **todo** especially
el **sobre** envelope
sobreexcitado, –a very excited
sobresaliente outstanding, excellent
sobresaltado, –a startled
sobresaltarse to be startled
la **sobrina** niece
el **sofá** sofa
sofocante oppressive, stifling
el **sol** sun
solamente only
la **solapa** lapel
solas: a — alone
solemne solemn
soler (ue) to be accustomed to, used to
solícito, –a solicitous, careful, solicitously
solo, –a alone, single
sólo only, nothing but
soltar (ue) to drop, let go, loosen
el **soltero** bachelor, single man
el **solterón** bachelor
la **sombra** shade, shadow, protection
el **sombrero** hat
sombrío, –a sullen, gloomy
someter to submit
la **somnolencia** sleepiness, somnolence
son *3rd pl. pres. ind. of* **ser** are
el **son** sound
sonante sonorous
sonar (ue) to sound; — **a rebato** to sound the alarm
el **soneto** sonnet
Sonora *Pr. n. state in N. W. Mexico*
sonreír (i) to smile

la sonrisa smile

la sonrisilla *dim. of* sonrisa little smile

la sonrisita little smile

sonrosado, –a rosy

soñado, –a dreamed (of)

soñador, –a dreamy, visionary

soñar (con) (ue) to dream (of)

soñoliento, –a sleepy

la sopa soup

soplar to blow

soportar to support, bear

el sorbo sip, gulp

sordamente in a muffled voice

sordo, –a muffled

sorprenderse to be surprised

la sorpresa surprise

la sortija ring

sosegado, –a appeased, quieted

la sospecha suspicion

sospechar to suspect

sostener to hold

sostenido, –a sustained

soy *1st s. pres. ind. of* ser I am

Stambul *Pr. n.* Stamboul, Constantinople

Stevens *Pr. n. large hotel in down-town Chicago*

Stillwater *Pr. n. city in which the state prison of Minnesota is located*

su your, his, her, their, its

suavemente gently

la suavidad softness

subir to rise, go up, mount, enter (a carriage) ; subírsele la cólera al campanario to become angry; — de punto to increase

sublime sublime, exalted

el subordinado subordinate

suceder to happen

sucesivamente successively

el suceso event

sucio, –a dirty

sudar to sweat; — el quilo to sweat profusely

el sudor sweat, perspiration

el suelo floor, ground

suelto, –a loose

el sueño dream, sleep

suerte que it is lucky that

la suerte fate, luck

suficiente sufficient, enough; lo — honrada honest enough

el sufrimiento suffering

sufrir to suffer

sujetar to subject, conquer

la sultana: — mía sweetheart

sumamente extremely

sumergido, –a submerged

el summum (*Latin*) height

sumo, –a extreme

suntuoso, –a sumptuous, luxurious

supe *1st s. pret. of* saber I learned, I found out

la superficie surface

superior superior

supersticioso, –a superstitious

la supervivencia survival

supieran *3rd pl. impfct. subj. of* saber knew

suplicar to beg

supo *3rd s. pret. of* saber learned, found out

suponer to suppose

supuesto: por — of course

sur south

el sur south; del — southern

surgir to spring up

surtir to supply

Susana *Pr. n.*

suspenso, –a in suspense

suspirar to sigh

el suspiro sigh; en tres —s in a jiffy

la sustancia substance, value

sustituir to substitute

sustituyó *3rd s. pret. of* sustituir substituted

el susto fright

suyo, –a; el suyo, –a (of) hers, his, yours, theirs

los suyos his men

T

el tabaco tobacco

la tacita little cup

tal such, such a; — o cual such and such

la talega bag; a thousand (dollars)

el talón heel; dar con el — to kick

talonario: libro — stub book

el tallo stem

tamaño so great; abrió —s ojos he opened his eyes so wide

también also

Tampico *Pr. n. north Mexican seaport, center of oil industry*

tampoco either, neither

tan as, so, such a, so much

tanto, –a so much, so far, so hard; otros —s so many others, as many others; en — que while; — más . . . cuanto más the more . . . the more; no — do not exaggerate; un — somewhat

la tapa top, lid

la tapia wall

tardar en to be long in

tarde late

la tarde afternoon, early evening; por la(s) —(s) in the afternoon; todas las —s every afternoon

la tarea task

la tarjeta card

la taza cup

te thee, to thee, you, to you, for you, from you

el té tea

teatral theatrical

el techo roof

el tejado roof

la tela canvas

la telaraña cobweb

el telegrama telegram

el tema subject

temblar (ie) to tremble

el temblor trembling

tembloroso, –a trembling

temer to fear

temeroso, –a fearful

temerse to fear

el temido feared

el temor fear

la temperatura temperature

tempestuoso, –a tempestuous

el temporal storm

temprano early

la tenacidad stubbornness

tender (ie) to stretch out, lay out, hold out, extend

el tendero shop keeper

tendrá *3rd s. fut. ind. of* tener will have

tendrás *2nd s. fut. of* tener you will have

tendré *1st s. fut. ind. of* tener I shall have; — mucho gusto I shall be delighted tendría *1st and 3rd s. cond. of* tener would have

el tenedor fork

la tenencia lieutenancy, office of sheriff

tener to have, keep, take; — afecto to be fond of; aquí tiene Vd. here is; — . . . años to be . . . years old; — en cuenta to bear in mind; — cuidado to be careful; — por to consider as; — miedo to be afraid; — que + *inf.* to have to; — razón to be right

tengo *1st s. pres. ind. of* tener I have

el teniente lieutenant; — de justicia sheriff

la tentación temptation

tenue weak, subdued

tercer shortened form of tercero third

tercero, –a third

el terciopelo velvet

Teresa *Pr. n.* Theresa

terminado, –a finished, having finished

terminantemente absolutely, definitely

terminar to end, finish

el término: en último — in the last analysis

la ternura tenderness; con — tenderly

el terreno ground, site

terrible terrible

territorial territorial

el terror terror

la tesorería treasury

el tesoro treasure

Texas *Pr. n.*

ti thee, you

el tiempo time; de — en — from time to time; tanto — so long

la tienda shop

la tierra land, country, earth

tieso, –a stiff, solid

el tifus typhoid fever

el timbre bell

la timidez timidity; con — timidly

el timón rudder, helm

la tinaja (large) earthen jar

las tinieblas darkness

el tino skill

la tinta ink

el tintero inkwell

el tío fellow, uncle, old

tirar to shoot, throw (away); — de to pull

el tiro team, shot; ir a —s to go shooting

tirotear to exchange shots

Tirso *Pr. n.*

el título title, legal title, head-lines

tocar to touch, ring, strike

el tocón stub

todavía still, yet

todo, –a all, every, great; del — completely, absolutely; —s los hombres every man

Toledo *Pr. n. city in New Castile, south of Madrid*

tolerar to tolerate, stand

¡toma! why

tomar to take, enjoy, eat, drink; — el fresco to enjoy the cool air; — la palabra to take the floor

el tomate tomato

el tomatero tomato seller

el tomo volume

Tomoporo *Pr. n.*

el tono tone

la tontería stupidity
el torbellino whirlpool, whirl
torcer (ue) to turn aside
la tormenta storm
el tormento torture
torneado, –a shapely
la torre tower
trabajador, –a industrious
trabajar to work
el trabajo work, effort, toil, job
traducir to translate
traer to bring; — alboro-
tado to keep excited
trágico, –a tragic
la traída: — de agua intake
canal
el traje suit
tranquilamente tranquilly,
calmly
la tranquilidad calm, tranquillity
tranquilizar to quiet, reas-
sure
tranquilo, –a calm, tranquil,
quiet, at ease
el transeúnte passerby
transformarse to be trans-
formed
la transición transition
transportar to transport
el transporte transportation
el trapo rag; a todo — at full
sail
tras after
trascurrir to transpire
trasladar to transfer
traspasar to penetrate, pierce
traste: dar al — con to
ruin
el tratante dealer
tratar to treat; — de + inf.
to try to; — de + noun to
deal with; — de tú to ad-
dress familiarly; —se de
ignorantes to call each

other ignoramuses; —se
con to associate with; —se
de to concern, to be a question of; de que se trata
under discussion
través: a — de through
la trayectoria path
trayendo pres. p. of traer
bringing
trazar to trace, write
el trazo line, stroke
treinta thirty
tremendo, –a tremendous
trémulo, –a tremulous, trembling
el tren train; — de la tarde
afternoon train
tres three; a las — at three
o'clock; de — al cuarto
cheap
la tribuna gallery
el trigo wheat
triste sad
la tristeza sadness
tristísimo, –a very sad
triunfante triumphant
el tronco trunk
tropezar (ie) con to meet
Troya Troy; allí fué — then
the fun began, a terrible
rumpus followed
el trozo selection, piece
el trueno thunder
tu thy, your
tú thou, you
tuerto, –a blind in one eye
el tunante rascal
tupido, –a dense
la turbación confusion, embar-
rassment
turbado, –a upset, alarmed
turbio, –a muddy, troubled
tuvieron 3rd pl. pret. of
tener had

tuvo *3rd s. pret. of* tener had, got

U

último, –a last, final; por — finally

el ultraje outrage

un, –a a, an, one

únicamente only

único, –a only

el único the only one

unido, –a united, firm, joined

uniforme uniform

el uniforme uniform

la universidad university

el universo universe

uno, –a one; *pl.* several, some; — a otro one another; —s y otros both

la uña finger nail, nail; *pl.* claws

urgente urgent

usar to use, wear

el uso use

usted you

útil useful

la utilidad profit

V

va *3rd s. pres. ind. of* ir goes, is going

se va *3rd s. pres. ind. of* irse is going, leaves

la vaca cow

la vacilación hesitation

vacilar to hesitate

el vagabundo vagabond

vagar to roam, wander

Valencia *Pr. n. city on eastern coast of Spain*

valer to be worth; vale más it is better; — la pena to be worth while

valga *1st and 3rd s. pres. subj. of* valer avail, help; ¡válgame Dios! or ¡Dios me valga! Heaven help me!

valiente brave, valiant

Valiña *Pr. n.*

el valor value, valor, gallantry

Valparaíso *Pr. n. chief seaport of Chile*

el valle valley

vámonos *1st pl. command of* irse let's go

vamos *1st pl. pres. ind. of* ir we are going; ¡—! Come!; vamos a + *inf.* let us . . .

van *3rd pl. pres. ind. of* ir go, are going

la vanidad vanity

vano, –a vain

la vara yard

varios, –as several

te vas *2nd s. pres. subj. of* irse you go

el vaso glass, jar

vaya *1st and 3rd s. pres. subj. of* ir go; que se — let him leave; ¡Vaya . . .! what!; — si fué . . . was she ever . . .

Vd. *abbreviation for* usted

la vecindad vicinity

el vecindario neighborhood, vicinity, population

la vecinita *dim. of* vecina little neighbor

el vecino neighbor, inhabitant

Vega *Pr. n.*

el vehículo vehicle

veinte twenty

veinticinco twenty-five

veintiséis twenty-six

el vejete little old man

la vejez old age

la vela candle, sail; a toda —
at full sail

Velázquez, Diego de Silva
y (1599-1660) painter of
Spanish court; greatest figure in Spanish art

velero, -a swift sailing

el velero swift-sailer

el velo veil

ven s. imp. of venir come!

vencer to conquer, overcome

vender to sell

vendrá 3rd s. fut. ind. of
venir will come

Venecia Pr. n. Venice, Italy

el vengador avenger

la venganza vengeance

vengas 2nd s. pres. subj. of
venir you come

vengo 1st s. pres. ind. of
venir I come

la venia bow (with head)

la venida coming, arrival

venir to come

venirse to rush

la venta sale; ponerlas a la —
to put them on sale

la ventaja advantage

ventajoso, -a favorable

la ventana window

el ventanal large window

la ventanilla window (of train
or coach)

el ventanillo small window

veo 1st. s. pres. ind. of ver
I see

ver to see, watch, look; a
— let's see; como si lo
viera of course, it is evident; a mi modo de — to
my way of thinking; aquí
donde Vd. me ve just as
I am

veras: ¿de —? really?

la verdad truth, to tell the
truth; es — it is true; de
— really

verdadero, -a true, real

verde green

la verdura vegetable

la vergüenza shame; darlo —
a uno to be ashamed

verificar to verify, check

verificarse to take place

verse to find oneself, appear

el verso verse

vestido, -a dressed

el vestigio vestige, trace

vestir (i) to wear

vestirse (i) to dress

la vez pl. veces time; a veces
at times; a la — at the
same time; cada — que
whenever; de — en
cuando from time to time,
occasionally; de una — at
once; alguna — occasion-
ally; en — de instead of;
otra — again; muchas
veces often; dos veces
twice; tal — perhaps; una
— (que) once

la vía: en —s de in the process
of

viajar to travel

el viaje trip

el viajero traveler

vibrar shake, tremble

la víctima victim

la vida life, living; en mi —
ever, never

el vidrio glass

la vieja old woman

el viejecito little old man

viejo, -a old; después de —
after he is old

el viejo old man

Viena Pr. n. Vienna, Austria

el vientecillo breeze

el **viento** wind
el **vientre** abdomen, paunch
viera *1st and 3rd s. impfct.
subj. of* ver saw, see; si
— if you could only see
la **vigilancia** vigilance
vigilar to watch (over)
el **vigor** vigor
vigoroso, –a vigorous
la **villa** town
viniendo *pres. p. of* venir
coming
vino *see* venir
el **vino** wine
se **vino** *3rd s. pret. of* venirse
came, rushed, there came
la **violencia** violence; **con —**
violently
violentamente violently
violento, –a violent
el **violín** violin
virar to tack, veer
la **virgen** virgin
Virginia *Pr. n.*
visible visible
visiblemente visibly
la **visión** apparition
la **visita** visit
visitar to visit
la **víspera** eve; **estar en —s**
de to be on the point of
la **vista** sight, eyes, gaze; **a —**
de under the eyes of
visto *p. p. of* ver seen; **por**
lo — apparently
la **viuda** widow
vivaz, *pl.* **vivaces** vivaciously,
in a lively manner
vivir to live, be alive
vivo, –a lively, quick, expressive
volar (ue) to fly

la **voluntad** will
volver (ue) to return, come
back; **— a + *inf.*** again
volverse (ue) to turn around,
turn
voy *1st s. pres. ind. of* ir
I go, am going
la **voz** *pl.* **voces** voice, tone,
cry; **en — alta** aloud; **en**
alta — aloud
el **vuelo** flight
la **vuelta** turn; **a la — de la**
esquina just around the
corner; **dar —s a** to turn

W

Wáshington *Pr. n.*
Weddell *Pr. n.*

Y

y and
ya already, now; indeed; oh,
yes; **— no** no longer; **—**
que since; **—, —** oh, yes
yo I
York *Pr. n.* York, England
el **yugo** yoke
yugoeslavo, –a Yugoslavian

Z

el **zaguán** anteroom, waiting
room
el **zalamero** flatterer
zambullirse to dive
zoológico, –a zoological
Zorrilla, José *(1817-1893) a*
Spanish romantic poet
zumbar to buzz